GRAMMAIRE POUR TOUT LE MONDE

Liz Cogan

M.I. Campbell-Schotsaert

FOLENS

Editor
Anna O Donovan
Ciara McNee

Design & Layout
Paula Byrne

© First published 1993
Folens Publishers
Hibernian Industrial Estate
Greenhills Road
Tallaght
Dublin 24

This edition 2002

Produced in Ireland by Folens Publishers

ISBN 0 86121 471 4

ACKNOWLEDGEMENTS

The authors wish to express their sincere thanks to Isabelle Saudrey for reviewing this book. A special word of thanks to John Cogan and Dermot F. Campbell for their encouragement and help.

INTRODUCTION

Grammaire Pour Tout le Monde is designed to reinforce the communicative courses that Junior Certificate students are currently following by providing a clear explanation of basic grammatical structures and giving wide scope for practising these with numerous exercises on each grammatical point covered.

The Department of Education report "Observations and Advice on the Teaching of French in Post-Primary Schools" favours the inclusion of grammar in modern language teaching. *Grammaire Pour Tout le Monde* facilitates this.

The vocabulary used in *Grammaire Pour Tout le Monde* is based on the requirements of the Junior Certificate syllabus and is therefore a useful adjunct in increasing students' accuracy in both written and spoken French.

Grammaire Pour Tout le Monde is also ideal for Transition Year students who can benefit from the extensive exercises which it provides.

CONTENTS

Unit 1: Articles 11

   1.1 The Definite Article 11

   1.2 The Indefinite Article 12

   1.3 Points to note 13

   1.4 À to/at/in 14

   1.5 De of Possession 16

   1.6 Du/de la/de l'/des 16

   1.7 De/d' 18

Unit 2: Nouns – Feminine and Plural 20

   2.1 Plural of Nouns 20

   2.2 Feminine of Nouns 23

   2.3 Nouns with two genders 23

Unit 3: Numbers 25

   3.1 Cardinal Numbers 25

   3.2 Ordinal numbers 26

Unit 4: Days of the week, Months of the Year, Dates 29

   4.1 Days of the Week 29

   4.2 Months of the Year 29

   4.3 Points to note 29

   4.4 Dates 30

Unit 5: Time, Season, Weather 33

   5.1 Time... 33

   5.2 Twenty-four Hour Clock....................... 33

   5.3 Seasons and Weather 36

Unit 6: Adjectives 39

   6.1 Definition 39

   6.2 Agreement of Adjectives 39

   6.3 Adjectives Already Ending in -e 39

6.4 Other Ending Patterns 40
6.5 Irregular Feminine Forms... 40
6.6 Position of Adjectives 41
6.7 Adjectives with Two Masculine Singular Forms.................... 42
6.8 Comparison of Adjectives 44
6.9 Demonstrative Adjectives: this/that/these/those 45
6.10 The Adjective tout: all/every/the whole............................. 46
6.11 The Interrogative Adjective quel – which/what 47
6.12 The Possessive Adjective mon – my 48

Unit 7: Adverbs 50
7.1 Definition 50
7.2 Formation.. 50
7.3 Adjectives Ending in a Vowel 50
7.4 Adjectives Ending in -ant or -ent 51
7.5 Adverbs with Extra -é- 51
7.6 Irregular Adverbs 51
7.7 Position of Adverbs 51
7.8 Adjectives Used as Adverbs 52
7.9 Comparison of Adverbs... 53

Unit 8: Verbs: Present Tense and Imperative 55
8.1 The Infinitive 55
8.2 The Present Tense 55
8.3 Regular Verbs er – ir – re... 55
8.4 Commonly Used Regular Verbs 57
8.5 Present Tense Common Irregular Verbs................................ 59
8.6 Use of On 61
8.7 The Imperative (Command) 62
8.8 Formation.. 62
8.9 Points to note 63
8.10 The Present Participle 64
8.11 Formation of Present Participle 64
8.12 Reflexive Verbs 65
8.13 Commonly Used Reflexive Verbs 66
8.14 Auxiliary Verbs Devoir, Falloir, Vouloir.............................. 67

Unit 9: Prepositions 69
    9.1 Simple Prepositions 69
    9.2 Compound Prepositions 69
    9.3 Note the Expressions 70

Unit 10: Conjunctions 72
    10.1 Definition 72
    10.2 Commonly Used Conjunctions 72
    10.3 Tenses After quand and dès que 73
    10.4 The Use of Si 73

Unit 11: Verbs: Future and Passé Composé 74
    11.1 Future Tense 74
    11.2 -er Verbs and -ir Verbs 74
    11.3 -re Verbs 74
    11.4 Irregular Verbs in the Future 75
    11.5 The Immediate Future 77
    11.6 The Passé Composé 77
    11.7 Formation of the Passé Composé 78
    11.8 Forming the Past Participle 78
    11.9 Commonly Used Irregular Verbs in Passé Composé 79
    11.10 Passé Composé Agreement with Objects and Nouns 82
    11.11 Passé Composé with être 85
    11.12 Passé Composé and Reflexive Verbs 87

Unit 12: Interrogative (Questions) 91
    12.1 Definition 91
    12.2 Forming Questions with est-ce que 91
    12.3 Questions without est-ce que 91
    12.4 Table for Questions without est-ce-que 92
    12.5 Asking about Ownership: whose/of whom? 93
    12.6 Use of pourquoi? – why? 93
    12.7 Answers to Questions Introduced by pourquoi 93
    12.8 Other Interrogatives 93
    12.9 Use of oui/non/si 94
    12.10 Note the Idiomatic Use of oui/non 94

Unit 13: Verbs: The Imperfect and Conditional 96
  13.1 The Imperfect 96
  13.2 Formation of Imperfect Tense 96
  13.3 Use of the Imperfect Tense 97
  13.4 Passé Composé and Imperfect 97
  13.5 The Conditional 99
  13.6 Formation of the Conditional 99
  13.7 Use of the Conditional 100
  13.8 Tenses with Depuis, Pendant and Venir De 102

Unit 14: Pronouns 103
  14.1 Definition 103
  14.2 Subject Pronouns 103
  14.3 Direct Object Pronouns 103
  14.4 Indirect Object Pronouns..................................... 104
  14.5 Position of Pronouns 104
  14.6 Pronouns and the Passé Composé 107
  14.7 The Pronouns Y and En 108
  14.8 The Imperative and Pronouns.............................. 109
  14.9 Possessive Pronouns 110
  14.10 Formation of the Possessive Pronoun 110
  14.11 Use of the Possessive Pronoun........................... 111
  14.12 Disjunctive Pronouns 111
  14.13 Formation of Disjunctive Pronouns 111
  14.14 Use of Disjunctive Pronouns.............................. 112
  14.15 Interrogative Pronouns 113
  14.16 Formation of the Interrogative Pronoun 113
  14.17 Use of Interrogative Pronouns 113
  14.18 The Interrogative Pronouns qui/que/quoi? 114
  14.19 Demonstrative Pronouns 115
  14.20 Formation of the Demonstrative Pronoun 115
  14.21 Use of the Demonstrative Pronoun 115

Unit 15: Negatives.. 118
   15.1 Definition 118
   15.2 Negatives 118
   15.3 Negatives with a One Verb Tense 118
   15.4 Negatives with a Two Verb Tense 119

Unit 16: Relative Pronouns 121
   16.1 Definition 121
   16.2 Qui/que/qu' – who/which/that/whom 121
   16.3 Relatives with a Preposition 122
   16.4 Use of dont – whose/of whom/of which 123
   16.5 Ce qui/ce que/ce dont – that, which or what 124

Unit 17: Indirect or Reported speech.............................. 127
   17.1 A Statement 127
   17.2 A Question 127
   17.3 A Question Introduced by est-ce que 127
   17.4 An Order 127

Unit 18: Revision Exercises 129

Unit 19: Verb Table 134

Unit 20: Vocabulary 152

Unit 1
Articles

1.1 The Definite Article

There are three words for *the* in French:
le before a masculine singular noun
la before a feminine singular noun
(**l'** before a noun beginning with a vowel – a, e, i, o, u – or a silent h)
les before all plural nouns

EXAMPLE: **le** garçon   *the boy*
              la fille   *the girl*
              l'enfant   *the child*
              l'homme   *the man*
              les parents   *the parents*

In French all nouns are either masculine or feminine. It is a good idea to learn the gender with each new word you meet. So learn **le** disque, not just disque (record).

EXAMPLE: **le** lait   *the milk*
              la pomme   *the apple*

Exercice 1

Ecrire **le/la/l'/les** devant les noms suivants:
EXAMPLE: frère: le frère

1. père	11. chien
2. mère	12. chats
3. fille	13. poisson rouge
4. fils	14. oiseau
5. soeur	15. lapin
6. cousin	16. animal
7. oncle	17. hamster
8. tante	18. souris
9. enfants	19. éléphant
10. enfant	20. lion

1.2 The Indefinite Article

There are two ways of saying *a/an* in French:
un before a masculine singular noun
une before a feminine singular noun

Note: **une** is never shortened, even before a vowel or a silent h.
A noun used indefinitely in the plural takes **des**.

EXAMPLE:		
	un fils	*a son*
	une fille	*a daughter*
	un enfant	*a child (boy)*
	une enfant	*a child (girl)*
	des parents	*parents*
	un cahier	*a copybook*
	des livres	*books*

Exercice 2

Ecrire **un/une/des** devant les noms suivants:
EXAMPLE: stylo – **un** stylo

1. discothèque	11. immeuble
2. église	12. cuisine
3. école	13. salon
4. musée	14. salle de bains
5. maison	15. cave
6. supermarché	17. grenier
7. lycée	17. chambre
8. pont	18. salle à manger
9. feux rouges	19. jardin
10. étage	20. appartement

1.3 Points to note

There are some occasions where French uses an article where English does not:

a) With parts of the body:

EXAMPLE: Je me brosse **les** cheveux. *I brush my hair.*

Je me suis cassé **le** bras. *I broke my arm.*

b) Names of languages:

l'irlandais	*Irish*
l'anglais	*English*
le français	*French*
l'allemand	*German*

Names of games:

le hockey	*hockey*
le tennis	*tennis*
le football	*football*
le basket	*basketball*

Names of countries:

la France	*France*
l'Irlande	*Ireland*
le Portugal	*Portugal*
l'Allemagne	*Germany*
les Etats-Unis	*USA*

Names of school subjects:

le dessin	*Art*
la biologie	*Biology*
l'éducation physique	*PE*
les maths	*Mathematics*

c) Prices:

Ces pommes coûtent 10 francs **le** kilo.   *These apples cost 10 francs per kilo.*

Ces poires coûtent 5 francs **les** 500 grammes.

These pears cost 5 francs per 500 grammes.

Ces oeufs coûtent 12 francs **la** douzaine.   *These eggs cost 12 francs per dozen.*

d) Speed:

L'avion vole à 700 km à **l'**heure.   *The plane is flying at 700 km an hour.*

e) Frequency:

Je joue au tennis trois fois **la** semaine. [spoken French]

I play tennis 3 times a week.

> ***Note*** The article is **not** used in French with a person's profession.
> EXAMPLE: Il est professeur.   *He is a teacher.*
>   Elle est infirmière.   *She is a nurse.*

1.4 À to/at/in

à means *to, at, in.*

EXAMPLE: Il va **à** Paris.   *He is going to Paris.*

   Il est **à** Paris.   *He is in Paris.*

   Il parle **à** Paul.   *He is talking to Paul.*

When **à** combines with **le/la/l'/les** the following changes occur:

   au before a masculine singular noun

   à la before a feminine singular noun

   à l' before a vowel or a silent **h**

   aux before all plural nouns

EXAMPLE: Il va **au** lycée.   *He goes to school.*

   Il va **à la** gare.   *He goes to the station.*

   Il va **à l'**église.   *He goes to the church.*

   Il va **aux** magasins.   *He goes to the shops.*

The following verbs are followed by **à**:

arriver **à**	*to arrive at*
donner **à**	*to give to*
frapper **à**	*to knock at*
jouer **à**	*to play (a game)*
obéir **à**	*to obey*
penser **à**	*to think about*
s'intéresser **à**	*to be interested in*
répondre **à**	*to reply to*

EXAMPLE: Il s'intéresse **au** jeu.   *He is interested in the game.*

Elle joue **au** tennis.   *She plays tennis.*

Il répond **à la** fille.   *He answers the girl.*

Nous pensons **à l'**examen.   *We are thinking about the exam.*

Maman donne des bonbons **aux** enfants.

Mum gives sweets to the children.

Exercice 3

Mettre la forme correcte — **à/au/à la/à l'/aux:**

1. Quand vas-tu (_____) école?
2. Marie joue (_____) basket.
3. Les enfants obéissent (_____) prof.
4. Je m'intéresse (_____) jeux d'ordinateur.
5. Il répond (_____) question.
6. Il pense (_____) examens.
7. Les enfants vont (_____) gare avec le prof.
8. Pierre aime jouer (_____) football.
9. Je donne les cahiers (_____) prof d'anglais.
10. Nous passons la nuit (_____) hôtel.

11. Le train arrive (_____) quai numéro cinq.

12. Maman va (_____) marché chaque jeudi.

13. L'avion arrive (_____) aéroport à minuit.

14. Le facteur frappe (_____) porte quand il a un paquet.

15. Les parents donnent l'argent de poche (_____) enfants.

16. Où est Suzanne? Elle parle (_____) prof.

17. Je ne m'intéresse pas (_____) sport. J'aime lire.

18. Tu aimes jouer (_____) basket?

19. Tu rêves, Suzanne! Oui. Je pense (_____) Tom Cruise. Il est si beau!

20. Où est ton père? Il est (_____) Paris.

1.5 De of Possession

To express ownership French uses **de** where English uses *'s* or *of the*.

When **de** combines with **le/la/l'/les** the following changes occur:
    du before a masculine singular noun
    de la before a feminine singular noun
    de l' before a singular noun beginning with a vowel or a silent h
    des before all plural nouns

EXAMPLE:	Le père **de** Paul	*Paul's father*
	Le chien **du** garçon	*The boy's dog*
	La maison **de** l'enfant	*The child's house*
	L'auto **des** parents	*The parents' car*

1.6 Du/de la/de l'/des

Du/de la/de l'/des also mean "some" or "any" and must be used in French even when not used in English.

EXAMPLE: Il a acheté **du** poisson pour le chat. *He bought (some) fish for the cat.*

    As-tu **de l'**argent? *Have you any money?*

    J'ai acheté **des** bonbons avec mon argent de poche.

                        I bought sweets with my pocket money.

Note the following words which are followed by de:

avoir besoin **de**	*to need*
avoir peur **de**	*to be afraid of*
jouer **de**	*to play (a musical instrument)*
se méfier **de**	*to distrust*
se moquer **de**	*to laugh at*
se souvenir **de**	*to remember*
remercier **de**	*to thank for*

EXAMPLE:

J'ai besoin **du** couteau.	*I need the knife.*
J'ai peur **de** l'homme.	*I'm afraid of the man.*
Je joue **du** violon et **de la** guitare.	*I play the violin and the guitar.*
Je me méfie **de l'**enfant.	*I distrust the child.*

Exercice 4

Mettre la forme correcte - **de/d'/du/de la/de l'/des:**

1. Qui est-ce? C'est Pierre, le frère (_____) Suzanne.
2. Le chien (_____) voisin s'appelle Rex.
3. Je joue (_____) piano chaque jour.
4. As-tu (_____) bonbons?
5. J'aime manger (_____) chocolat.
6. Je me souviens (_____) jour où mon frère est né.
7. Les garçons se moquent (_____) petite fille qui pleure.
8. Je me méfie (_____) chiens.
9. Il a besoin (_____) argent tout de suite.
10. Le père (_____) enfant n'est pas encore ici.
11. La boum (_____) Nadine était chouette.
12. Est-ce que tu joues d'un instrument? Oui, je joue (_____) clarinette et (_____) hautbois.
13. Il se méfie (_____) chat car il griffe toujours.
14. Mon père se moque (_____) vêtements que je porte, mais ça m'est égal.

15. Est-ce que tu te souviens (_____) Anna?
16. La cage (_____) oiseau est ouverte. Il s'est échappé.
17. Les jouets (_____) enfants sont partout! Vite, Michelle, aide-moi à les ramasser.
18. Je te remercie (_____) lettre que je viens de recevoir.
19. J'ai besoin (_____) livre de biologie pour faire mes devoirs.
20. Il ne sait pas nager. Il a peur (_____) eau.

1.7 Instead of du/de la/de l'/des the Simple Form de/d' is used

a) **After a negative:**

EXAMPLE: Je n'ai pas **de** frère.   *I haven't got a brother.*
           Je n'ai pas **de** soeur.   *I haven't got a sister.*
           Je n'ai pas **d'**oncle.   *I haven't got an uncle.*
           Je n'ai pas **de** cousins.   *I haven't got any cousins.*

b) **After an indication of quantity:**

J'ai tant **de** fautes dans mes devoirs.   *I have so many mistakes in my homework.*
Je voudrais un kilo **de** pommes,
s'il vous plaît.   *I'd like a kilo of apples, please.*
J'ai beaucoup **de** bonbons.   *I've lots of sweets.*
J'ai trop **de** devoirs.   *I've too much homework.*
As-tu assez **d'**argent?   *Have you enough money?*
Combien **de** T-shirts as-tu?   *How many T-shirts have you got?*
Je voudrais un peu **de** confiture,
s'il vous plaît.   *I'd like a little jam, please.*

c) **Immediately before an adjective:**

EXAMPLE: J'ai **de** nouvelles chaussures.   *I have new shoes.*
           J'ai **des** chaussures noires.   *I have black shoes.*

Exercice 5

Mettre la forme correcte - **de/d'/du/de la/de l'/des:**

1. Je n'ai pas (_____) soeur.
2. Je voudrais 250 grammes (_____) jambon.
3. Tu as trop (_____) fautes dans cet exercice, Claire!
4. Tu viens jouer au tennis? Non, j'ai beaucoup (_____) devoirs ce soir.
5. Combien (_____) frères as-tu, Nadine?
6. Mets un peu (_____) sucre dans le café. C'est mieux comme ça.
7. J'ai reçu (_____) beaux cadeaux pour mon anniversaire.
8. Mais Jean-Paul! J'ai dit tant (_____) fois: Mets tes jouets dans le placard!
9. Tu écris (_____) lettres si drôles. Je ris toujours.
10. Tu as un chien? Non, je n'ai pas (_____) animaux.

Unit 2
Nouns – Feminine and Plural

2.1 Plural of Nouns

General rule: To make a noun plural you generally add **-s** to the singular.

EXAMPLE:
le café —>	**les cafés**	*café*
la banque —>	**les banques**	*bank*
l'église —>	**les églises**	*church*

a) Nouns ending in **-s/-x/-z** do not change in the plural:

EXAMPLE:
le fils —>	**les fils**	*son*
la voix —>	**les voix**	*voice*
le nez —>	**les nez**	*nose*

b) Nouns ending in **-eu** and **-au** add **-x** in the plural:

EXAMPLE:
le jeu —>	**les jeux**	*game*
le cadeau —>	**les cadeaux**	*present*
le château —>	**les châteaux**	*castle*
le neveu —>	**les neveux**	*nephew*

EXCEPTION: le pneu —> les pneus   *tyre*

c) Most nouns ending in **-al** change to **-aux** in the plural:

EXAMPLE:
le journal —>	**les journaux**	*newspaper*
le cheval —>	**les chevaux**	*horse*
l'hôpital —>	**les hôpitaux**	*hospital*

EXCEPTIONS:
le bal —>	**les bals**	*dance*
le carnaval —>	**les carnavals**	*carnival*

d) Nouns ending in **-ou** take **-s** in the plural:

EXAMPLE:
le cou —>	**les cous**	*neck*
le trou —>	**les trous**	*hole*
le sou —>	**les sous**	*penny/pennies*

EXCEPTIONS: le bijou —> les bijoux *jewel*

le caillou —>	**les cailloux**	*pebble*
le chou —>	**les choux**	*cabbage*
le genou —>	**les genoux**	*knee*
le hibou —>	**les hiboux**	*owl*
le joujou —>	**les joujoux**	*toy*
le pou —>	**les poux**	*louse/lice*

e) Nouns ending in **-ail** take **-s** in the plural:
Example: **le détail —>**   **les détails**   *detail*

EXCEPTION: **le travail —> les travaux** *work*

f) Irregular Plurals:

l'œil —>	**les yeux**	*eye*
le ciel —>	**les cieux**	*sky, heaven*
monsieur —>	**messieurs**	*Mr, Sir, gentleman*
madame —>	**mesdames**	*Mrs, Madam, lady*
mademoiselle —>	**mesdemoiselles**	*Miss*

Note Family names do not take an ending in the plural:
    Example: **Les Mitterrand** vont au cinéma le jeudi soir.
            The Mitterrands go to the cinema on Thursday evenings.

Exercice 1

Mettre la forme correcte des noms entre parenthèses:

1. J'aime les (haricot) et les (champignon), mais je ne mange pas les (chou).
2. Les (fils) des (Dupont) sont allés en colonie de vacances cet été.
3. J'ai acheté deux (jupe), trois (chemisier) et deux (pantalon) pour les vacances.
4. Pierre a trois (frère) et deux (sœur).
5. A Noël Tante Angéline donne toujours de beaux (cadeau) à ses (neveu) et ses (nièce).
6. Nous avons visité les (château) dans la vallée de la Loire pendant les (vacance).
7. Mon vélo est en panne! Il y a des (trou) dans les deux (pneu).
8. Papa lit les (résultat) des (course) de (cheval) dans deux (journal).
9. Nous avons pris deux (bateau) pour aller au Portugal l'année dernière.
10. Trois (hôpital) sont fermés à cause de la récession.
11. Mon petit frère cherche toujours des (caillou) sur la plage et il les met dans des (seau) pour les apporter chez nous.
12. Elle est très belle. Elle a les (oeil) bleus, un petit nez et des (cheveu) noirs.
13. Les (monsieur) du département ont surveillé les (travail) de restauration pour les deux (château).
14. Les (tapis) sont rouges et les (rideau) sont rayés dans la nouvelle maison.
15. Les (hibou) chantent la nuit, cachés dans les (arbre).
16. Les (Jeu) Olympiques ont lieu tous les quatre (an).
17. Sur les côtes d'Irlande les (eau) sont froides, même en été.
18. Pierre s'est blessé les deux (genou) en jouant au football.
19. Le Père Noël apporte beaucoup de (cadeau) et de (jouet) pour les (enfant).
20. Qu'est-ce qu'on t'a offert comme cadeau de Noël? Beaucoup de (chose) - des (disque), des (livre), des (vêtement) et de l'argent.

2.2 Feminine of Nouns

General rule: To make a noun feminine, you add -e to the masculine singular form.

EXAMPLE: **mon cousin —> ma cousine**   *cousin*

Not all nouns follow this pattern. Note the following changes:

-er —>	**-ère:**	**le fermier —>**	**la fermière**	*farmer*
-eur —>	**-euse:**	**le danseur —>**	**la danseuse**	*dancer*
-ien —>	**-ienne:**	**l'Italien —>**	**l'Italienne**	*Italian*
-teur —>	**-trice:**	**l'acteur —>**	**l'actrice**	*actor*

Special Cases: The following do not follow the general rule:

un homme —>	**une femme**	*man/woman*
un mari —>	**une femme**	*husband/wife*
un héros —>	**une héroïne**	*hero/heroine*
un monsieur —>	**une dame**	*gentleman/lady*
un neveu —>	**une nièce**	*nephew/niece*
un oncle —>	**une tante**	*uncle/aunt*
un parrain —>	**une marraine**	*godfather/godmother*
un roi —>	**une reine**	*king/queen*
un vieillard —>	**une vieille**	*old man/woman*
un veuf —>	**une veuve**	*widower/widow*

2.3 Some nouns have the same form, but a different article for both genders

un/une artiste	*artist*
un/une enfant	*child*
un/une élève	*pupil*
un/une camarade	*friend*

Some nouns have only one gender referring to both masculine and feminine:

un médecin	*doctor*
un professeur	*teacher*
une personne	*person*
une vedette	*(film) star*
une victime	*victim*
une souris	*mouse*

Exercice 2

Ecrire au féminin:

1. *Le cousin* de Pierre s'appelle Françoise.
2. *Le danseur* et *le chanteur* ont amusé les enfants au théâtre.
3. *Le roi espagnol* viendra en visite officielle en Irlande.
4. *Le vieillard* a visité *son ami* à l'hôpital.
5. *Le vendeur* a vendu la maison *au parrain* de Michel.
6. *Le père* de Claude est *chanteur*.
7. *Mon frère* est *l'ami du conducteur* de bus.
8. *Le fermier* a *un oncle* qui habite chez nous.
9. *Le mari* de M. Laroche s'appelle Claire.
10. *Le héros* de la pièce est *le mari* de *l'acteur célèbre*.

Unit 3
Numbers

3.1 Cardinal Numbers

0	**zéro**	21	**vingt et un(e)**
1	**un/une**	22	**vingt-deux**
2	**deux**	30	**trente**
3	**trois**	31	**trente et un(e)**
4	**quatre**	32	**trente-deux**
5	**cinq**	40	**quarante**
6	**six**	41	**quarante et un(e)**
7	**sept**	42	**quarante-deux**
8	**huit**	50	**cinquante**
9	**neuf**	60	**soixante**
10	**dix**	70	**soixante-dix**
11	**onze**	71	**soixante et onze**
12	**douze**	72	**soixante-douze**
13	**treize**	80	**quatre-vingts**
14	**quatorze**	81	**quatre-vingt-un(e)**
15	**quinze**	82	**quatre-vingt-deux**
16	**seize**	90	**quatre-vingt-dix**
17	**dix-sept**	91	**quatre-vingt-onze**
18	**dix-huit**	100	**cent**
19	**dix-neuf**	1000	**mille**
20	**vingt**		

Points to note

a) Hyphens are used in compound numbers but not when **et** is used.
   vingt-cinq   25
   trente-sept   37

b) **et** is used after 21, 31, 41, 51, 61, 71 **but not** after 81, 91 and 101.
   quarante et un   41
   soixante et un   61
   but: quatre-vingt-un   81

c) vingt takes -s only in 80

   quatre-vingts 80

   but: quatre-vingt-cinq 85

d) Cent takes **-s** only when plural and not followed by another number.

   deux cents francs 200 francs.

   deux cent dix francs 210 francs.

e) When adding in French the verb faire is used.

   Trois et trois font six.

   Dix et quatre font quatorze.

3.2 Ordinal Numbers (first, second, etc.)

To form these numbers you generally add -**ième** to the cardinal number.

1st	**premier/prem**ière		11th	**onz**ième
2nd	**deux**ième		12th	**douz**ième
3rd	**trois**ième		13th	**treiz**ième
4th	**quatr**ième		14th	**quatorz**ième
5th	**cinqu**ième		15th	**quinz**ième
6th	**six**ième		16th	**seiz**ième
7th	**sept**ième		17th	**dix-sept**ième
8th	**huit**ième		18th	**dix-huit**ième
9th	**neuv**ième		19th	**dix-neuv**ième
10th	**dix**ième		20th	**vingt**ième
			21st	**vingt et un**ième **etc.**

EXAMPLE: **Claire a deux ans. C'est son deuxième anniversaire.**

          Claire is two years old. It is her second birthday.

          J'habite la troisième rue à gauche. *I live on the third street on the left.*

Exercice 1

Ecrivez les numéros suivants:

EXAMPLE: 5 - cinq

11, 15, 18, 20, 26, 30, 35, 41, 47, 52, 59, 63, 74, 76, 79, 80, 83, 90, 94, 98, 100

Exercice 2

Ecrivez en toutes lettres le nombre qui convient.

EXAMPLE: Tout le monde a (_____) pieds. Tout le monde a deux pieds.

1. Il y a (_____) jours dans la semaine.

2. J'ai (_____) ans, mon frère a (_____) ans et ma soeur a (_____) ans.

3. Nous avons (_____) doigts et (_____) pouces.

4. Il y a (_____) jours au mois de mai.

5. Ma petite soeur adore le livre de Goldilocks et les (_____) ours.

6. Quarante et quarante font (_____).

7. Dix-sept et cinquante font (_____).

8. Jean a vingt francs et Paul a soixante et onze francs. Ensemble, ils ont (_____) francs.

9. Nous avons (_____) cours de français par semaine.

10. J'ai (_____) cousins et (_____) cousines.

Exercice 3

Ecrivez en toutes lettres les nombres suivants:

EXAMPLE: 2+3 = 5 -> Deux et trois font cinq.

1. 3+4 = 7
6. 65+7 = 72

2. 9+12 = 21
7. 99+1= 100

3. 18+20 = 38
8. 24+9 = 33

4. 50+71 = 121
9. 54+66 = 120

5. 90+6 = 96
10. 25+28 = 53

Exercice 4

Ecrivez en toutes lettres les numéros de téléphone:

EXAMPLE: 88 72 68 04 - quatre-vingt-huit, soixante-douze, soixante-huit,
zéro quatre

1. 78 92 46 22
2. 98 33 54 96
3. 22 48 76 66
4. 79 11 03 72
5. 67 41 80 65
6. 44 61 52 06
7. 97 50 17 42
8. 85 70 86 45
9. 75 36 30 31
10. 33 86 82 41

Exercice 5

Ecrivez en toutes lettres les nombres qui conviennent:

EXAMPLE: C'est la leçon numéro cinq. -> C'est la cinquième leçon.

1. Cécile a douze ans. C'est son (_____) anniversaire.

2. La (_____) guerre mondiale a fini en 1945.

3. Mon père a cinquante ans aujourd'hui. C'est son (_____) anniversaire.

4. Je suis né(e) pendant le (_____) siècle.

5. Ma soeur s'est mariée en 1987. Aujourd'hui c'est son (_____)
anniversaire de mariage.

Unit 4
Days of the Week, Months of the Year, Dates

4.1 Days of the Week

lundi	*Monday*
mardi	*Tuesday*
mercredi	*Wednesday*
jeudi	*Thursday*
vendredi	*Friday*
samedi	*Saturday*
dimanche	*Sunday*

4.2 Months of the Year

janvier	*January*	
février	*February*	
mars	*March*	
avril	*April*	
mai	*May*	
juin	*June*	
juillet	*July*	
août	*August*	
septembre	*September*	
octobre	*October*	
novembre	*November*	
decembre	*December*	

4.3 Points to note

a) Capital letters are not used with days and months except at the beginning of a sentence.

EXAMPLE: **Dimanche, j'irai à la patinoire avec mes copains**.

On Sunday, I will go to the ice rink with my friends.

Papa est parti en avion jeudi dernier.

Daddy left by plane last Thursday.

b) **No** word for **"on"** is normally needed in French with the days of the week.

   EXAMPLE: **Samedi, nous irons au cinéma**. *On Saturday we will go to the cinema.*

   Elle arrivera mardi soir. *She will arrive on Tuesday night.*

c) **le** in front of a day gives the idea of a continuous action.

   EXAMPLE: **Je vais à la bibliothèque le samedi**. *I go to the library on Saturdays.*

   Ma mère va au marché le vendredi.

   My mother goes to the market on Fridays.

d) **En** or **au mois de** mean **"in"** when coming before a month.

   Both expressions are commonly used in French.

   Example: **en janvier/au mois de janvier** *in January*

   en décembre/au mois de décembre *in December*

4.4 Dates

The regular numbers 2 - 31 are used with dates.

Points to note:

a) When writing dates in French the word **"of"** is **never** used.

   EXAMPLE: **le douze juin** *the 12th (of) June*

   le quatorze juillet *the 14th (of) July*

b) On the first day of the month the word premier is used.

   EXAMPLE: **le premier janvier** *the first (of) January*

   le premier avril *the first (of) April*

c) **Mil** meaning *a thousand* is used in dates only. (Elsewhere **mille** is used and it never takes an s).

   EXAMPLE: **en mil neuf cent quatre-vingt-douze** *in 1992*

   en mil sept cent quatre-vingt-neuf *in 1789*

Exercice 1

Remplir les blancs avec les jours de la semaine qu'il faut:

EXAMPLE: (_____), je ne vais pas à l'école.

      Le samedi, je ne vais pas à l'école.

1. Le (_____), je vais à la messe.
2. (_____) tombe avant mercredi.
3. Le (_____), je fais la grasse matinée.
4. (_____), je n'aime pas ce jour du tout. C'est juste après le weekend!
5. (_____) tombe après mardi.
6. Le (_____) ma mère regarde le "Late Late Show".
7. (_____), le weekend s'approche!
8. J'adore le (_____) car il n'y a pas d'école le lendemain.
9. Je déteste le (_____).
10. Je me lève tard le (_____).

Exercice 2

Remplir les dates en toutes lettres:

EXAMPLE: La veille de Noël tombe le (_____).

      La veille de Noël tombe le vingt-quatre décembre.

1. Aujourd'hui nous sommes le (_____).
2. Je suis né(e) le (_____).
3. Noël tombe le (_____).
4. Le jour de la Saint Patrick tombe le (_____).
5. L'anniversaire de ma mère est le (_____).
6. La nouvelle année tombe le (_____).
7. Le jour de la Bastille tombe le (_____).
8. Hier, c'était le (_____).
9. Cette année les vacances de Noël commencent le (_____).
10. La Toussaint tombe le (_____).

Exercice 3

Ecrire les dates en toutes lettres:

EXAMPLE: 1784 - mil sept cent quatre-vingt-quatre

1. 1994
2. 1990
3. 1750
4. 1789
5. 1791
6. 1014
7. 1976
8. 1453
9. 1758
10. 1945
11. 1650
12. 2000
13. 1545
14. 1542
15. 1916
16. 1989
17. 1460
18. 1892
19. 1949
20. 1310

Unit 5
Time, Season, Weather

5.1 Time

Quelle heure est-il?	*What time is it?*
Il est dix heures.	*It is ten o'clock.*
Il est dix heures cinq.	*It is five past ten.*
Il est dix heures dix.	*It is ten past ten.*
Il est dix heures et quart.	*It is a quarter past ten.*
Il est dix heures vingt.	*It is twenty past ten.*
Il est dix heures vingt-cinq.	*It is twenty-five past ten.*
Il est dix heures et demie.	*It is half past ten.*
Il est onze heures moins vingt-cinq.	*It is twenty-five to 11.*
Il est onze heures moins vingt.	*It is twenty to eleven.*
Il est onze heures moins le quart.	*It is a quarter to 11.*
Il est onze heures moins dix.	*It is ten to eleven.*
Il est onze heures moins cinq.	*It is five to eleven.*
Il est onze heures.	*It is eleven o'clock.*

Points to note

a) Do not use the number douze for twelve o'clock (except in the 24-hour clock).

    EXAMPLE: **Il est midi**. *It is twelve (noon).*

            Il est minuit. *It is twelve (midnight).*

b) **At: Je me lève à huit heures**. *I get up at 8.*

c) To specify a.m. and p.m.:

    EXAMPLE: **Il est quatre heures du matin**. *It is four o'clock in the morning.*

            Il est une heure de l'après-midi. *It is one o'clock in the afternoon.*

            Il est cinq heures du soir. *It is five o'clock in the evening.*

5.2 Twenty-four Hour Clock

In France the 24 hour clock is commonly used in time-tables and notices (restaurants, concerts etc.)

treize heures	1 p.m./13.00
treize heures cinq	1.05 p.m./13.05

treize heures dix	1.10 p.m./13.10
treize heures quinze	1.15 p.m./13.15
treize heures vingt	1.20 p.m./13.20
treize heures vingt-cinq	1.25 p.m./13.25
treize heures trente	1.30 p.m./13.30
treize heures trente-cinq	1.35 p.m./13.35
treize heures quarante	1.40 p.m./13.40
treize heures quarante-cinq	1.45 p.m./13.45
treize heures cinquante	1.50 p.m./13.50
treize heures cinquante-cinq	1.55 p.m./13.55
quatorze heures	2.00 p.m./14.00

Note **et demie** and **et quart** are **not** used in the 24-hour clock.

EXAMPLE: **Le train part à quinze heures trente.** *The train is leaving at 15.30 (3.30 p.m.)*

L'avion arrive à dix-sept heures quinze. *The plane is arriving at 17.15 (5.15 p.m.)*

Exercice 1

Remplir les blancs avec l'heure qu'il faut:

EXAMPLE: Je me réveille (_____).

Je me réveille à huit heures.

1. Je me réveille à (_____).
2. Je me lève à (_____).
3. Je mange mon petit déjeuner à (_____).
4. Je quitte la maison à (_____).
5. J'arrive à l'école à (_____).
6. Les cours commencent à (_____).
7. Les cours terminent à (_____).
8. Je rentre à la maison à (_____).
9. Je commence mes devoirs à (_____).
10. Je me couche à (_____).

Exercice 2

Ecrire en toutes lettres les heures suivantes:

EXAMPLE: 18.30 Il est dix-huit heures trente.

1. 18.30
2. 14.50
3. 13.00
4. 17.30
5. 16.40
6. 23.50
7. 24.00
8. 11.00
9. 15.20
10. 12.00
11. 14.00
12. 12.15
13. 16.00
14. 17.50
15. 13.10

Exercice 3

EXAMPLE: Le train part à (7 p.m.)

      Le train part à sept heures le soir./Le train part à dix-neuf heures.

1. Maintenant il est (4.15 p.m.).
2. La circulation est interdite entre (1 p.m. et 2.30 p.m.).
3. Le train de (6 p.m.) est en retard.
4. Les heures d'ouverture sont entre (8.30 a.m. et 8.30 p.m.).
5. Le restaurant ouvre à (7 p.m.).
6. Le vol arrive à (12 midnight).
7. Le concert commence à (8 p.m.).
8. La boum termine à (3 a.m.).
9. Le syndicat d'initiative ouvre à (9 a.m.).
10. Le bistro ferme à (11 p.m.).

5.3 Seasons and Weather

en été	*in summer*
en automne	*in autumn*
en hiver	*in winter*
au printemps	*in spring*

Quel temps fait-il aujourd'hui? *What is the weather like today?*

La météo	*The weather forecast*
Aujourd'hui	*(today)*
Il fait chaud.	*It is hot.*
Il fait froid.	*It is cold.*
Il fait beau.	*It is fine.*
Il fait mauvais.	*It is bad.*
Il fait du brouillard.	*It is foggy.*
Il fait de l'orage.	*It is stormy.*
Il fait du tonnerre.	*It is thundery.*
Il y a du vent.	*It is windy.*
Il pleut.	*It is raining.*
Il neige.	*It is snowing.*
Il gèle.	*It is freezing.*
Il grêle.	*It is hailing.*
Hier	*(yesterday)*
Il faisait chaud.	*It was hot.*
Il faisait froid.	*It was cold.*
Il faisait beau.	*It was fine.*
Il faisait mauvais.	*It was bad.*
Il faisait du soleil.	*It was sunny.*
Il faisait du brouillard.	*It was foggy.*
Il faisait de l'orage.	*It was stormy.*
Il faisait du tonnerre.	*It was thundery.*
Il y avait du vent.	*It was windy.*

Il pleuvait.	*It was raining.*
Il neigeait.	*It was snowed.*
Il gelait.	*It was freezing.*
Il grêlait.	*It was hailing.*
Demain	*(tomorrow)*
Il va faire chaud.	*It is going to be hot.*
Il va faire froid.	*It is going to be cold.*
Il va faire beau.	*It is going to be fine.*
Il va faire mauvais.	*It is going to be bad.*
Il va faire du soleil.	*It is going to be sunny.*
Il va faire du brouillard.	*It is going to be foggy.*
Il va faire de l'orage.	*It is going to be stormy.*
Il va faire du tonnerre.	*It is going to be thundery.*
Il va pleuvoir.	*It is going to rain.*
Il va neiger.	*It is going to snow.*
Il va geler.	*It is going to freeze.*
Il va grêler.	*It is going to hail.*
Il y aura du vent.	*It is going to be windy.*
une brume matinale	*a morning mist*
un ciel gris	*a grey sky*
un ciel couvert	*a cloudy sky*
un ciel nuageux	*a cloudy sky*
des éclaircies	*sunny spells*
des averses	*showers of rain*
du verglas	*black ice*
des inondations	*floods*

Exercice 4

Répondre aux questions suivantes:

EXAMPLE: Quel temps fait-il en France en été?
              En été il fait beau. Il fait chaud et il fait du soleil.
              Quelquefois il pleut et il fait de l'orage.

1. Quel temps fait-il en Espagne en été?
2. Quel temps fait-il à Moscou en hiver?
3. Quel temps fait-il en Irlande en automne?
4. Quel temps fait-il en Angleterre au printemps?

Exercice 5

Remplir les blancs:

EXAMPLE: En été quand il (_____), je vais à la plage.
              En été quand il fait beau, je vais à la plage.

1. Maintenant il (_____), je ne peux pas sortir. Je n'ai pas de parapluie.
2. Aujourd'hui la température maximale est de 4 degrés, alors il (_____).
3. Paul joue avec le cerf-volant car il (_____).
4. Pendant l'hiver il (_____) à Moscou.
5. Il (_____). Je vais m'asseoir au soleil.
6. On ne peut pas voir très bien car il (_____).
7. Le lac est couvert de glace. Il (_____).
8. Il (_____). Les enfants font un bonhomme de neige.
9. N'oubliez pas votre parapluie. Il (_____).
10. Je mets mon pull car il (_____).
11. Si vous conduisez ce matin, faites attention. Il y a du (_____) sur les routes.
12. Hier il (_____) et beaucoup d'arbres sont tombés.
13. Il (_____) hier, alors je suis resté à la maison.
14. Pendant la nuit, il (_____) et maintenant les enfants jouent dans la neige.
15. Demain il (_____), nous irons à la plage.
16. Demain il (_____), je ne sortirai pas.

Unit 6
Adjectives

6.1 Definition

An adjective is usually a word which tells us more about a noun.

EXAMPLE: the **big** dog
my brother
this book
which class?
the **whole** class

6.2 Agreement of Adjectives

In French an adjective which goes with a noun must agree with that noun in gender (masculine/feminine) and number (singular/plural). This means that if the noun is feminine singular the adjective must also be feminine singular.

EXAMPLE: le **petit** garçon   *the little boy*
les **petits** garçons   *the little boys*
la **petite** fille   *the little girl*
les **petites** filles   *the little girls*

General rule: To make an adjective feminine, add -e to the masculine singular form. To make an adjective masculine plural, add -s to the masculine singular form. To make it feminine plural, add -es to the masculine singular form.

6.3 Adjectives Already Ending in -e

If the masculine singular adjective ends in -e, no change occurs:

EXAMPLE: le **jeune** garçon   *the young boy*
la **jeune** fille   *the young girl*
le tapis **rouge**   *the red carpet*
la robe **rouge**   *the red dress*

6.4 Other Ending Patterns

	Masc. Sing.	Fem. Sing.	
-er —> -ère:	cher —>	chère	*dear*
	premier —>	première	*first*
	dernier —>	dernière	*last*
	fier —>	fière	*proud*
-x —> -se:	heureux —>	heureuse	*happy*
	joyeux —>	joyeuse	*joyful*
	furieux —>	furieuse	*furious*
	jaloux —>	jalouse	*jealous*
-f —> -ve:	sportif —>	sportive	*sporty*
	actif —>	active	*active*
	vif —>	vive	*lively*
	bref —>	brève	*short*
-et —> -ette:	muet —>	muette	*mute*
-en —> -enne:	ancien —>	ancienne	*ancient, former*
	parisien —>	parisienne	*Parisian*
-eil —> -eille:	pareil —>	pareille	*similar*
-on —> -onne:	bon —>	bonne	*good*

6.5 Irregular Feminine Forms

Masc. Sing.	Fem. Sing.	
beau —>	belle	*beautiful*
blanc —>	blanche	*white*
doux —>	douce	*sweet, soft*
épais —>	épaisse	*thick*
faux —>	fausse	*false*

favori —>	favorite	*favourite*
frais —>	fraîche	*fresh*
gentil —>	gentille	*kind, nice*
gros —>	grosse	*big*
gras —>	grasse	*fat*
long —>	longue	*long*
nouveau —>	nouvelle	*new*
public —>	publique	*public*
vieux —>	vieille	*old*
sec —>	sèche	*dry*

6.6 Position of Adjectives

General rule: The adjective follows the noun.

EXAMPLE: **un garçon intelligent**   *an intelligent boy*
           une fille intelligente   *an intelligent girl*

However, the following adjectives usually come before the noun:

autre	*other*
beau	*beautiful*
bon	*good*
grand	*big*
gros	*big, large*
haut	*high*
jeune	*young*
joli	*pretty*
long	*long*
mauvais	*bad*
méchant	*naughty*
nouveau	*new*
petit	*small*
vilain	*nasty*
vaste	*huge, vast*
vieux	*old*

EXAMPLE: un **autre** garçon   *another boy*
           un **beau** garçon   *a handsome boy*

un **bon** repas	*a good meal*
un **grand** repas	*a big meal*
un **gros** camion	*a big truck*
un **haut** bâtiment	*a tall building*
un **jeune** garçon	*a young boy*
un **joli** bateau	*a pretty boat*
un **long** trajet	*a long trip*
un **mauvais** rhume	*a bad cold*
un **méchant** enfant	*a naughty child*
un **nouveau** manteau	*a new coat*
un **petit** frère	*a little brother*
un **vilain** garçon	*a bad boy*
un **vaste** empire	*a huge empire*
un **vieux** château	*an old castle*

6.7 Adjectives with Two Masculine Singular Forms

The following adjectives have a special masculine singular form before a noun beginning with a vowel or a silent h:

Masc. Sing.	Masc. Sing. before vowel/h	Fem. Sing.	Masc. Plural	Fem. Plural
beau	bel	belle	beaux	belles
nouveau	nouvel	nouvelle	nouveaux	nouvelles
vieux	vieil	vieille	vieux	vieilles

EXAMPLE:

un **bel** arbre	*a beautiful tree*
un **nouvel** ami	*a new friend*
un **vieil** homme	*an old man*

Exercice 1

Donner la forme correcte de l'adjectif entre parenthèses:

1. La glace est (excellent).
2. J'ai deux (nouveau) disques et une (nouveau) cassette de U2.
3. Je voudrais un pull (vert) et de (long) chaussettes (rouge).
4. Avez-vous des T-shirts (blanc)? Non, nous avons des T-shirts (vert), (rouge) et (noir) seulement.
5. Christine a les yeux (brun), les cheveux (noir) et de (long) jambes (élégant). Elle est très (beau).
6. Mon (nouveau) ami, Patrick, est (mince) et (drôle).
7. J'ai besoin d'une robe (blanc) et de chaussures (blanc) pour mon rôle dans le ballet à l'école.
8. Maman était (heureux) de voir le (nouveau) bébé, mais la (petit) fille était (jaloux).
9. Claire est très (sportif), mais Jean-Paul est si (paresseux) qu'il ne joue jamais au tennis.
10. J'ai eu de (bon) nouvelles de ma cousine (favori) ce soir.
11. Ma mère était (furieux) quand elle a vu mon (dernier) bulletin scolaire.
12. La (méchant) fille a cassé les (nouveau) jouets de ses (petit) cousins.
13. Je voudrais une écharpe (carré) et des gants (noir), s'il vous plaît.
14. J'ai reçu de (beau) cadeaux pour mon anniversaire – des jeux d'ordinateur (fantastique) et une (beau) montre-bracelet.
15. J'aime la crème (frais) avec des fraises (sucré).
16. Donnez-moi une bière (froid), s'il vous plaît, et deux paquets de cacahouettes (salé).
17. Le lion est une (gros) bête (sauvage).
18. La (vieux) route est très (dangereux).
19. Mon (vieux) ami est allé au théâtre avec moi, mais la pièce était (bref) et il était (déprimé).
20. Paris est une (grand) ville (ancien) avec de (vaste) avenues et des monuments (célèbre).

6.8 Comparison of Adjectives

The comparative and superlative of adjectives is formed regularly as follows:

EXAMPLE:
fort	*strong*
plus fort que	*stronger than*
le plus fort	*the strongest*
moins fort que	*less strong than*
aussi fort que	*as strong as*
pas si fort que	*not as strong as*

EXAMPLE:
Paul est grand.	*Paul is tall.*
Pierre est plus grand que Paul.	*Peter is taller than Paul.*
David est le plus grand des trois.	*David is the tallest of the three.*
Jean-Patrick est moins grand que Bob.	*Jean-Patrick is not as tall as Bob.*
Yves est aussi grand que Bob.	*Yves is as tall as Bob.*
André n'est pas si grand que Paul.	*André is not as tall as Paul.*

Exceptions:

bon —> meilleur —> le meilleur *good, better, best*

petit —> plus petit/moindre —> le plus petit/le moindre *small, smaller/less, the smallest/least*

mauvais —> plus mauvais/pire —> le plus mauvais/le pire *bad, worse, the worst*

Note After a superlative the English word "in" is translated by **de**.
EXAMPLE: Elle est la meilleure élève **de** la classe. *She is the best pupil in the class.*

Exercice 2

Pierre a seize ans. Suzanne a douze ans. Patrick a dix ans. Alors, complétez les phrases suivantes:

1. Pierre est (_____) âgé que Suzanne.
2. Suzanne est (_____) âgée que Pierre.
3. Patrick est (_____) âgé que Suzanne.
4. Suzanne est (_____) âgée que Patrick.
5. Patrick est (_____) âgé que Pierre.

6. Pierre est (_____) âgé des trois.
7. Patrick est (_____) âgé des trois.
8. Pierre et Suzanne sont (_____) âgés que Patrick.
9. Patrick et Suzanne sont (_____) âgés que Pierre.
10. Pierre est (_____) âgé que Patrick.

Exercice 3

La blouse est 200 francs. La robe est 600 francs. Le manteau est 2.000 francs. Alors, complétez les phrases suivantes:

1. La blouse est (_____) chère que la robe.
2. La robe est (_____) chère que la blouse.
3. Le manteau est (_____) cher que la robe.
4. La robe est (_____) chère que le manteau.
5. Le manteau est (_____) cher des trois.
6. La blouse est (_____) chère des trois.
7. La robe n'est pas (_____) chère que le manteau.
8. La blouse et la robe ne sont pas (_____) chers que le manteau.
9. Le manteau et la robe sont (_____) chers que la blouse.
10. La blouse n'est pas (_____) chère que la robe.

6.9 Demonstrative Adjectives: this/that/these/those

Form:

Masc. Sing.	Fem. Sing.	Plural
ce garçon	**cette fille**	**ces gens**
this boy	*this girl*	*these people*
cet enfant	**cette échelle**	**ces amis**
this child	*this ladder*	*these friends*
cet homme	**cette herbe**	**ces histoires**
this man	*his grass*	*these stories*

The demonstrative adjective is used only with a noun or adjective + noun.
EXAMPLE: Je vais au lycée **ce** matin. *I'm going to school this morning.*

To distinguish between *this* and *that*, *these* and *those*, **-ci** and **-là** are added to the noun.

EXAMPLE: **Cette fille-ci est ma soeur, cette fille-là est ma cousine.** *This girl is my sister, that girl is my cousin.*

Exercice 4

Donner la forme correcte de **ce:**

1. (_____) chien m'a mordu la jambe.
2. (_____) fraises ne sont pas mûres.
3. (_____) histoire n'est pas intéressante.
4. (_____) garçon-ci a fait ses devoirs, (_____) garçon-là n'a rien fait.
5. (_____) cadeaux sont vraiment formidables.
6. (_____) robes ne me plaisent pas du tout.
7. (_____) homme s'appelle Pierre Duprés.
8. (_____) enfant a de la fièvre.
9. (_____) lettres-ci datent du 1er janvier et (_____) lettres-là datent du 4.
10. (_____) T-shirts sont très chers.

6.10 The Adjective tout – all/every/the whole

Form:

masc. sing: **tout**	masc. plural: **tous**
fem. sing: **toute**	fem. plural: **toutes**

EXAMPLE:

Il a lu **tout** le livre.	*He read the whole book.*
Il a mangé **toute** la tarte.	*He ate the whole pie.*
Tous les matins je me douche.	*I shower every morning.*
Toutes les robes sont chères ici.	*All the dresses are expensive here.*

Note The expression **tout le monde** *everyone* always takes a verb in the third person singular.

EXAMPLE: **Tout le monde** aime les glaces.   *Everyone likes ice-cream.*

        Tout le monde est ici.   *Everyone is here.*

Exercice 5

Ecrire la forme correcte de **"tout"**:

1. (_____) la classe aime le prof d'anglais.
2. Pierre a mangé (_____) les bonbons.
3. Je joue au tennis (_____) les jours.
4. (_____) mes amies ont des billets pour le concert.
5. (_____) les Irlandais aiment la Guinness.
6. (_____) le monde connaît U2.
7. J'ai lu (_____) l'histoire.
8. J'ai compris (_____) ce roman français.
9. (_____) les enfants aiment regarder la télé.
10. Jean-Paul pense que (_____) les filles sont belles.

6.11 The Interrogative Adjective quel – which/what

Quel, meaning *which?* and *what?*, is an adjective and must agree with the noun it refers to.

Form:

masc. sing: **quel**	masc. plural: **quels**
fem. sing: **quelle**	fem. plural: **quelles**

EXAMPLE:

Quel garçon?	*Which boy?*
Quelle fille?	*Which girl?*
Quels livres?	*Which books?*
Quelles leçons?	*Which lessons?*

Quel can also be used in an exclamation:

EXAMPLE:

Quel blagueur!	*What a joker!*
Quelle bêtise!	*What a silly thing to do!*

Exercice 6

Donner la forme correcte de **quel**:

1. (_____) belle fille! Comment s'appelle-t-elle?
2. (_____) est ton nom?
3. (_____) est ton prof préféré?
4. (_____) beaux cadeaux! Merci beaucoup.
5. (_____) est votre actrice préférée?
6. (_____) âge as-tu?
7. (_____) est la saison de l'année que tu préfères?
8. Dans (_____) maison habites-tu – numéro dix ou onze?
9. (_____) pommes as-tu choisies – les rouges ou les vertes?
10. (_____) vie! J'ai toujours trop de devoirs!

6.12 The Possessive Adjective mon – my

Mon/ma/mes, etc., is possessive because it tells us who owns something, and it is an adjective because it tells us more about a noun.

Form:

Masc. Sing.	Fem. Sing.	Plural	
mon	ma	mes	*my*
ton	ta	tes	*your*
son	sa	ses	*his*
son	sa	ses	*her*
notre	notre	nos	*our*
votre	votre	vos	*your*
leur	leur	leurs	*their*

NB: These adjectives agree with the thing or person owned, not the owner.

EXAMPLE: **mon** frère *my brother* (Here **mon** is masculine because frère is masculine, regardless of whether a girl or a boy is speaking.)

"Voilà **mon** frère", dit Claire. (**Frère is masculine!**)

"Voilà **ma** soeur", dit Paul. (**Soeur is feminine!**)

This is especially important with **son/sa/ses/**, which mean both **"his"** and **"her"**.

EXAMPLE:　**Pierre aime son père et sa mère.**　*Peter loves his father and mother.*

Claire aime son frère et sa soeur.　*Claire loves her brother and her sister.*

Mme Dupont aime son fils.　*Mrs Dupont loves her son.*

M. Dupont aime sa fille.　*Mr Dupont loves his daughter.*

Note The form **mon/ton/son** is used before a feminine singular noun beginning with a vowel or a silent **h**.

EXAMPLE:　**mon auto**　*my car*

ton école　*your school*

son histoire　*his story*

Exercice 7

Completer avec la forme correcte - **mon/ton** etc.:

1. Mme Duclos et (_____) mari sont en vacances en Espagne.
2. Vous avez perdu (_____) sac, Madame?
3. J'aime (_____) parents.
4. Avez-vous appris (_____) devoirs, mes enfants?
5. Pierre et Paul, où est (_____) mère?
6. J'espère que je trouverai (_____) montre. Je crois que je l'ai perdue.
7. As-tu reçu (_____) carte de Noël?
8. Tu dois manger (_____) dîner, Paul. Sinon tu ne seras pas fort comme Papa!
9. Les enfants travaillent bien pour (_____) prof de maths.
10. Les enfants et (_____) parents s'amusent bien à Euro Disney.
11. As-tu perdu (_____) chaussures, Michèle?
12. M. Duclos et (_____) femme habitent à côté de chez nous.
13. Pierre et (_____) amis jouent toujours au foot le samedi après-midi.
14. "Est-ce qu'on a vu (_____) livres de français", demande Michèle.
15. "(_____) auto est en panne, je prendrai (_____) vélo", dit M. Duclos.
16. Claire et (_____) frère vont au cinéma.
17. Je vais à la piscine avec (_____) amies.
18. Paul et (_____) cousine s'entendent bien.
19. Les Duclos et (_____) enfants sont en vacances.
20. "J'ai rangé (_____) affaires dans le bureau, Monsieur", dit la secrétaire.

Unit 7
Adverbs

7.1 Definition

An adverb is a word that tells us more about a verb. Most adverbs deal with the way a thing is done and are called adverbs of manner.

EXAMPLE:　He ran **quickly**.
　　　　　　He read **slowly**.

7.2 Formation

Adverbs are usually formed from adjectives.
Example:　quick —> *quickly*

General rule: To form an adverb in French you add **-ment** to the feminine form of the adjective.

EXAMPLE:

Masc.	Fem.	Adverb	
général	**générale**	**générale**ment	*generally*
doux	**douce**	**douce**ment	*gently*
facile	**facile**	**facile**ment	*easily*

7.3 Adjectives Ending in a Vowel

If the masculine form of the adjective ends in **a vowel**, just add **-ment**.

EXAMPLE:　**vrai —> vraiment**　　　　*really, truly*
　　　　　　poli —> poliment　　　　*politely*
　　　　　　absolu —> absolument　　*absolutely*
　　　　　　rapide —> rapidement　　*rapidly, quickly*

7.4 Adjectives Ending in -ant or -ent

When the adjective ends in **-ant** or **-ent** you change **-ant** to **-amment** and **-ent** to **-emment**.

EXAMPLE: **constant —>**   **constamment**   *constantly*
               évident —>   **évidemment**   *evidently*

Exception: **lent —>**   **lentement**   *slowly*

7.5 Adverbs with Extra é

The following adverbs take **-é-** before the ending:

aveugle —> aveuglément   *blindly*
confus —> confusément   *confusedly*
énorme —> énormément   *enormously*
exprès —> expressément   *on purpose*
précis —> précisément   *precisely*
profond —> profondément   *profoundly*

7.6 Irregular Adverbs

bon —> bien   *good/well*
bref —> brièvement   *short/briefly*
gentil —> gentiment   *nicely*
mauvais —> mal   *bad/badly*
meilleur —> mieux   *better/best*
rapide —> rapidement or vite   *quick/quickly*

7.7 Position of Adverbs

Adverbs usually follow the verb.
EXAMPLE: Il travaille **bien**. *He works well.*

In compound tenses like the Passé Composé the adverb usually comes between the auxiliary and the verb.
EXAMPLE: Pierre a **bien** travaillé. *Peter worked well.*

7.8 Adjectives used as Adverbs

In some expressions an adjective is used as an adverb. When this happens you never add endings to the adjective.

EXAMPLE: couter **cher**   *to be expensive (to cost dear)*
chanter **juste**   *to sing in tune*
parler **haut**   *to speak loudly*
sentir **mauvais** *to smell bad*
faire **exprès**   *to do on purpose*
travailler **dur** *to work hard*
aller **droit**   *to go straight*

EXAMPLE: Les pommes coûtent **cher** au marché.

Apples are expensive at the market.

Claire travaille **dur** à l'école.   *Claire works hard at school.*

Exercice 1

Ecrire comme adverbe.

EXAMPLE: **doux —> doucement:**

1. heureux	11. rapide
2. lent	12. poli
3. bon	13. prudent
4. gentil	14. courageux
5. énorme	15. profond
6. exprès	16. vrai
7. meilleur	17. bref
8. constant	18. général
9. facile	19. absolu
10. mauvais	20. patient

Exercice 2

Ecrire la forme correcte des mots entre parenthèses:

1. Claire travaille (bon) pour le prof de maths.
2. Les enfants allaient (lent) à l'école.
3. Il pleut (constant) en hiver.
4. Pierre répond (poli) quand on lui demande quelque chose.
5. Il se sent (meilleur) depuis lundi.
6. Pierre est tombé, mais (heureux) il ne s'est pas blessé.
7. Le chien court (aveugle) après le chat.
8. L'eau sent (mauvais) dans la ville.
9. Vous allez tout (droit), puis vous prenez la première rue à droite.
10. Les enfants courent (rapide) pour ne pas être en retard.

7.9 Comparison of Adverbs

As with adjectives, adverbs form their comparative and superlative as follows:

EXAMPLE:

vite	*quickly*
plus vite que	*more quickly than*
le plus vite	*the quickest*
aussi vite que	*as quickly as*
pas si vite que	*not as quickly as*
moins vite que	*less quickly than*

EXAMPLE: **Paul court vite.**   *Paul runs quickly.*
David court plus vite que Paul.   *David runs more quickly than Paul.*
Pierre court le plus vite de toute la classe.

Peter runs the quickest of the class.

Exceptions:

bien —> mieux —> le mieux	*well, better, best*
mal —> plus mal/pis —> le plus mal/le pis	*badly, worse, worst*
beaucoup —> plus —> le plus	*much, more, most*
peu —> moins —> le moins	*little, less, least*

EXAMPLE: **Paul travaille bien.**   *Paul works well.*
           Pierre travaille mieux que Paul.   *Peter works better than Paul.*
           David travaille le mieux des trois. *David works the best of the three.*

Note "More and more" or "-er and -er" (bigger and bigger/longer and longer) is **de plus en plus** in French.
EXAMPLE: L'avion vole **de plus en plus** vite.

                                    The plane flies quicker and quicker.

"Less and less" is **de moins en moins**.
EXAMPLE: Ils se rencontrent **de moins en moins** souvent.

                                    They meet less and less often.

Exercice 3

Paul court 10 km en une heure. Yves court 15 km en une heure. David court 20 km en une heure. Alors, completez les phrase suivantes:

1. Paul court (_____) vite qu'Yves.
2. Yves court (_____) vite que Paul.
3. David court (_____) vite des trois.
4. Yves court (_____) vite que David.
5. Paul ne court pas (_____) vite que David.

Exercice 4

Claire travaille une heure. Suzanne travaille deux heures. Nicole travaille trois heures. Alors, complétez les phrases suivantes:

1. Claire travaille (bon).
2. Suzanne travaille (_____) que Claire.
3. Suzanne travaille (_____) que Nicole.
4. Nicole travaille (_____) des trois.
5. Claire ne travaille pas (_____) que Suzanne.

Unit 8
Verbs: Present Tense and Imperative

8.1 The Infinitive

In order to be able to use a verb in French, you must know its infinitive – i.e. that part of the verb that does not mention any person and has **"to"** before it in English.

EXAMPLE: **donner**   *to give*
             chanter   *to sing*

8.2 The Present Tense

In English there are **two forms** of the present tense:

EXAMPLE: *he is giving*   (right now)
             he gives   (every day, in general)

In French there is **one form** only.

EXAMPLE: je donne   *I am giving/I give*
             elle donne *she is giving/she gives*

8.3 Regular Verbs

-er Verbs

To form the present tense of all regular -er verbs, you first remove the -er ending from the infinitive.

EXAMPLE: **chanter**   **chant**
             parler   **parl**

then add the endings -e, -es, -e, -ons, -ez, -ent.

je chante	*I sing/I am singing*
tu chantes	*you sing/you are singing*
il chante	*he sings/he is singing*
elle chante	*she sings/she is singing*

nous chantons	*we sing/we are singing*
vous chantez	*you sing/you are singing*
ils chantent	*they sing/they are singing*
elles chantent	*they sing/they are singing*

-ir Verbs

To form the present tense of all regular -ir verbs, you remove the -ir ending from the infinitive.

EXAMPLE: **finir - fin**

   choisir - chois

then add the endings -is, -is, -it, -issons, -issez, -issent.

je finis	*I finish/I am finishing*
tu finis	*you finish/you are finishing*
il finit	*he finishes/he is finishing*
elle finit	*he finishes/she is finishing*
nous finissons	*we finish/we are finishing*
vous finissez	*you finish/you are finishing*
ils finissent	*they finish/they are finishing*
elles finissent	*they finish/they are finishing*

-re Verbs

To form the present tense of all regular -re verbs you remove the -re from the infinitive.

EXAMPLE: **vendre - vend**

   attendre - attend

then add -s, -s, (**-nothing**), -ons, -ez, -ent.

je vends	*I sell/I am selling*
tu vends	*you sell/you are selling*
il vend	*he sells/he is selling*
elle vend	*she sells/she is selling*
nous vendons	*we sell/we are selling*
vous vendez	*you sell/you are selling*
ils vendent	*they sell/they are selling*
elles vendent	*they sell/they are selling*

Many of the present tense regular verbs end in -er, therefore they should be easy to conjugate.

Note	Usage of **tu** and **vous**. **Tu** is used when you are speaking to a friend, relative, child or animal. **Vous** is used when you are speaking to someone you don't know very well and it is also used as a plural.

8.4 Commonly Used Regular Verbs

améliorer	*to improve*		**menacer**	*to threaten*
annuler	*to cancel*		**oser**	*to dare*
arriver	*to arrive*		**oublier**	*to forget*
avaler	*to swallow*		**partager**	*to share*
avouer	*to confess*		**patiner**	*to ice skate*
bavarder	*to chat*		**percuter**	*to crash into*
bricoler	*to do DIY*		**piquer**	*to sting*
brûler	*to burn*		**plaisanter**	*to joke*
déménager	*to move house*		**porter**	*to carry*
dépasser	*to over take*		**prêter**	*to lend*
déraper	*to skid*		**quitter**	*to leave*
emprunter	*to borrow*		**regarder**	*to look at*
entrer	*to enter*		**renseigner**	*to inform*
économiser	*to save/economise*		**repasser**	*to iron*
écouter	*to listen to*		**récompenser**	*to reward*
espérer	*to hope*		**saigner**	*to bleed*
éviter	*to avoid*		**siffler**	*to whistle*
fermer	*to close*		**souffler**	*to blow*
gaspiller	*to waste*		**stationner**	*to park*
gronder	*to scold*		**tomber**	*to fall*
habiter	*to live*		**tousser**	*to cough*
hurler	*to shout*		**travailler**	*to work*
jouer	*to play*		**traverser**	*to cross*
klaxonner	*to blow your horn*		**tricher**	*to cheat*
laisser	*to leave*		**tricoter**	*to knit*
louer	*to hire*		**tuer**	*to kill*
lutter	*to struggle*			

Exercice 1

Mettre la forme correcte des verbes: -er, -ir, -re:

EXAMPLE: Nous (habiter) Dublin.

Nous habitons Dublin.

1. Maman (tricoter) un joli pull.
2. Je (partager) ma chambre avec ma petite soeur.
3. Nous (bavarder) pendant la récréation.
4. Paul (tousser) maintenant.
5. Chaque samedi je (jouer) au tennis.
6. Maman et Papa (regarder) la télévision dans le salon.
7. Vous (tricher), je vais le dire à votre mère.
8. Les garçons (siffler) quand ils voient les filles.
9. Je (tomber) toujours.
10. Tu (porter) une jolie robe.
11. Les garçons (plaisanter) avec les filles.
12. Nous (espérer) gagner le loto.
13. J'(aimer) mon petit chat.
14. Elle (oublier) toujours ses affaires.
15. Papa (klaxonner) quand il est fâché.
16. Le professeur (punir) les élèves qui ne travaillent pas.
17. Nous (entendre) les oiseaux chanter dans les arbres.
18. Paul (remplir) le seau avec de l'eau.
19. Je (vendre) mon vélo.
20. Nous (choisir) le meilleur film.

8.5 Present Tense Common Irregular Verbs

Aller	*to go*	Avoir	*to have*
je vais	*I go/am going*	**j'ai**	*I have*
tu vas	*you go/are going*	**tu as**	*you have*
il va	*he goes/is going*	**il a**	*he has*
elle va	*she goes/is going*	**elle a**	*she has*
nous allons	*we go/are going*	**nous avons**	*we have*
vous allez	*you go/are going*	**vous avez**	*you have*
ils vont	*they go/are going*	**ils ont**	*they have*
elles vont	*they go/are going*	**elles ont**	*they have*

Être	*to be*	Faire	*to do/to make*
je suis	*I am*	**je fais**	*I do/am doing*
tu es	*you are*	**tu fais**	*you do/are doing*
il est	*he is*	**il fait**	*he does/is doing*
elle est	*she is*	**elle fait**	*she does/is doing*
nous sommes	*we are*	**nous faisons**	*we do/are doing*
vous êtes	*you are*	**vous faites**	*you do/are doing*
ils sont	*they are*	**ils font**	*they do/are doing*
elles sont	*they are*	**elles font**	*they do/are doing*

Ouvrir	*to open*	Pouvoir	*to be able to*
j'ouvre	*I open/am opening*	**je peux**	*I can*
tu ouvres	*you open/are opening*	**tu peux**	*you can*
il ouvre	*he opens/is opening*	**il peut**	*he can*
elle ouvre	*she opens/is opening*	**elle peut**	*she can*
nous ouvrons	*we open/are opening*	**nous pouvons**	*we can*
vous ouvrez	*you open/are opening*	**vous pouvez**	*you can*
ils ouvrent	*they open/are opening*	**ils peuvent**	*they can*
elles ouvrent	*they open/are opening*	**elles peuvent**	*they can*

Prendre	*to take*	**Savoir**	*to know*
je prends	*I take/am taking*	**je sais**	*I know*
tu prends	*you take/are taking*	**tu sais**	*you know*
il prend	*he takes/is taking*	**il sait**	*he knows*
elle prend	*she takes/is taking*	**elle sait**	*she knows*
nous prenons	*we take/are taking*	**nous savons**	*we know*
vous prenez	*you take/are taking*	**vous savez**	*you know*
ils prennent	*they take/are taking*	**ils savent**	*they know*
elles prennent	*they take/are taking*	**elles savent**	*they know*
Sortir	*to go out*	**Venir**	*to come*
je sors	*I go out/am going out*	**je viens**	*I come/am coming*
tu sors	*you go out/are going out*	**tu viens**	*you come/are coming*
il sort	*he goes out/is going out*	**il vient**	*he comes/is coming*
elle sort	*she goes out/is going out*	**elle vient**	*she comes/is coming*
nous sortons	*we go out/are going out*	**nous venons**	*we come/are coming*
vous sortez	*you go out/are going out*	**vous venez**	*you come/are coming*
ils sortent	*they go out/are going out*	**ils viennent**	*they come/are coming*
elles sortent	*they go out/are going out*	**elles viennent**	*they come/are coming*
Voir	*to see*	**Vouloir**	*to wish/want*
je vois	*I see*	**je veux**	*I want*
tu vois	*you see*	**tu veux**	*you want*
il voit	*he sees*	**il veut**	*he wants*
elle voit	*she sees*	**elle veut**	*she wants*
nous voyons	*we see*	**nous voulons**	*we want*
vous voyez	*you see*	**vous voulez**	*you want*
ils voient	*they see*	**ils veulent**	*they want*
elles voient	*they see*	**elles veulent**	*they want*

Exercice 2

Mettre les verbes à la forme correcte:

EXAMPLE: Mon grand frère (avoir) seize ans.
  Mon grand frère a seize ans.

1. Papa et maman (sortir) souvent.
2. Il ne (savoir) pas jouer de la guitare.
3. Je (être) l'aîné de la famille.
4. Ils (aller) au syndicat d'initiative.
5. Nous (prendre) la rue à droite.
6. Vous (pouvoir) manger n'importe quoi!
7. Maman (faire) un gâteau pour mon anniversaire.
8. Vous (vouloir) un sandwich au jambon?
9. Aujourd'hui nous (avoir) deux cours de français.
10. Qu'est-ce que vous (faire) là?

8.6 Use of On

On means "**someone, you, they, we,** and **one**". It is very commonly used in spoken French. The third person singular of the verb is used with **on**.

EXAMPLE: **On va se promener.**   *We are going for a walk.*
           On frappe à la porte.   *There's a knock at the door./*
                                    Someone is knocking at the door.

           On peut se garer ici?   *Can you park here?*

Exercice 3

Mettre la forme correcte suivant l'exemple:

EXAMPLE: (_____) de la musique. (écouter)

On écoute de la musique.

1. (_____) aux boules en France. (jouer)
2. (_____) des grenouilles en France. (manger)
3. (_____) la porte. (ouvrir)
4. (_____) à la Messe chaque dimanche. (aller)
5. En Ecosse (_____) au rugby. (jouer)
6. En Allemagne (_____) de la bière. (boire)
7. (_____) à la porte. (sonner)
8. (_____) à la piscine. (aller)
9. (_____) du sport à l'école. (faire)
10. (_____) tard pendant les grandes vacances. (se coucher)

8.7 The Imperative (Command)

When you give someone directions, make a request or order someone to do something, you use the imperative. To form the imperative you use the **2nd person singular**, **1st person plural** and **2nd person plural** of the present tense, the **tu**, **nous** and **vous** form.

8.8 Formation

-er Verbs:

EXAMPLE: **Regarde l'avion, Papa!**   *Look at the plane, Dad!*

Jouons au tennis.   *Let's play tennis.*

Passez-moi le sucre s'il vous plaît, monsieur.   *Pass me the sugar please, sir.*

-ir Verbs:

EXAMPLE: **Finis tes devoirs.**   *Finish your homework.*

Choisissons la viande ensemble.   *Let's choose the meat together.*

Remplissez les verres s'il vous plaît, monsieur.   *Fill the glasses please, sir.*

-re Verbs:

Example:	**Attends Jean!**	*Wait Jean!*
	Attendons ici, mes enfants.	*Let's wait here, children.*
	Répondez à toutes les questions.	*Answer all the questions.*

8.9 Points to note

a) When using an **-er** verb in the imperative you drop the **-s** in the second person singular

Example: **Mange ton gâteau, maman!**

b) As in English you drop the pronouns (tu, nous, vous).

c) Use **ne....pas** if you want to tell someone not to do something.

Example: **Ne mange pas trop, Paul!** *Don't eat too much, Paul!*

Exercice 4

Mettre la forme correcte du verbe.

Example: (_____) les fenêtres, les garçons. (fermer)

Fermez les fenêtres, les garçons.

1. (_____) par là, s'il vous plaît, madame. (passer)
2. (_____) ta robe, Michèle. (regarder)
3. (_____) au tennis. (nous/jouer)
4. (_____) l'escalier et vous verrez la porte. (descendre)
5. (_____) à gauche, monsieur. (tourner)
6. (_____) du thé ensemble. (préparer)
7. Ne (_____) pas des bonbons avant ton repas. (manger)
8. Ne (_____) pas les fenêtres, Paul - il fait chaud. (fermer)
9. Ne (_____) pas par là, Pierre et Jean, l'eau est sale. (nager)
10. Ne (_____) pas maintenant, Papa, il est tard. (travailler)
11. Ne (_____) pas la page, Cécile. (salir)
12. Ne (_____) pas votre voiture, Monsieur Duclos. (vendre).

8.10 The Present Participle

The Present Participle in English ends in **-ing (looking, giving)** and in French it ends in **-ant (regardant, donnant)**.

8.11 Formation of Present Participle

To form the Present Participle you take the nous form of the present tense e.g. nous regardons, drop the **-ons** and add **-ant**.

EXAMPLE: **nous donnons**   **donnant**   *giving*

   nous faisons   **faisant**   *doing*

   nous mangeons   **mangeant**   *eating*

There are only three exceptions to this rule.

   être (nous sommes)   **étant**   *being*

   avoir (nous avons)   **ayant**   *having*

   savoir (nous savons)   **sachant**   *knowing*

En with the Present Participle

When the Present Participle is used with **en** it expresses the idea of **while, on, by doing something**.

EXAMPLE: **En sortant de la gare, tournez à gauche**. *On leaving the station, turn to the left.*

   En lisant le journal, elle écoutait la radio. *While reading the newspaper, she listened to the radio.*

Note:

The Present Participle can also be used as an adjective.

EXAMPLE: **de l'eau courante** *running water*

   l'année suivante *the following year*

Exercice 5

Mettre la forme correcte du verbe:

EXAMPLE: En (acheter) le tapis maintenant, vous ferez des économies.
En achetant le tapis maintenant, vous ferez des économies.

1. En (sortir) de la maison, elle a vu son oncle.
2. En (descendre) la rue, il faisait du lèche-vitrine.
3. En (voir) l'agent, il est parti à toute vitesse.
4. Il mangeait du chocolat en (regarder) la télévision.
5. Maman a pleuré en (lire) le livre.
6. En (arriver) tard à l'école, elle a rencontré la directrice.
7. Elle est tombée en (traverser) la rue.
8. Papa a monté l'escalier en (courir).
9. (Etre) première de sa classe, elle a reçu le prix.
10. (Savoir) qu'il était blessé, j'ai téléphoné à la police.

8.12 Reflexive Verbs

These verbs are so called because the action which they express refers back to the subject.

EXAMPLE: **Je me lave**. *I wash myself.*

Points to note

a) Reflexive verbs have an extra pronoun.
b) Most reflexive verbs are **-er** verbs.

Se laver	*to wash oneself*
je me lave	*I wash myself/I am washing myself*
tu te laves	*you wash yourself*
il se lave	*he washes himself*
elle se lave	*she washes herself*
nous nous lavons	*we wash ourselves*
vous vous lavez	*you wash yourselves*
ils se lavent	*they wash themselves*
elles se lavent	*they wash themselves*

8.13 Commonly Used Reflexive Verbs

s'amuser	*to have a good time*
s'appeler	*to be called*
s'approcher	*to approach*
s'arrêter	*to stop*
se baigner	*to bathe*
se coucher	*to go to bed*
se demander	*to wonder*
se dépêcher	*to hurry up*
se fâcher	*to get angry*
s'habiller	*to get dressed*
se lever	*to get up*
se promener	*to go for a walk*
se raser	*to shave*
se reposer	*to rest*
se réveiller	*to wake up*

Note Many verbs can be made reflexive.

EXAMPLE: **aimer**   *to like/to love*
               s'aimer   *to like each other/love each other*

This can be used to express the idea of "each other" and "to each other"

EXAMPLE: **Nous nous parlons.**   *We talk to each other.*
               Nous nous écrivons.   *We write to each other.*

Exercice 6

Mettre la forme correcte du verbe:

EXAMPLE: Les enfants (se promener).
            Les enfants se promènent.

1. La fille (se promener).
2. Je (se réveiller) à sept heures.
3. Je (se lever) à sept heures et quart.
4. Je (se laver) dans la salle de bains.
5. Je (s'habiller) en vitesse.
6. Je (se dépêcher) d'aller à l'école.
7. Mon père (se raser).
8. Nous (se coucher) à dix heures.
9. Vous (se promener) à côté de la rivière.
10. Maman (se reposer) à quatre heures.
11. Tu (se dépêcher) d'aller aux magasins.
12. Je (se demander) s'il va arriver.
13. Nous (se baigner) quand il fait chaud.
14. Papa (se fâcher) facilement.
15. Vous (s'arrêter) à l'arrêt.

8.14 Auxiliary Verbs: Devoir, Falloir, Vouloir

(a) Devoir

When not followed by an infinitive, devoir means "to owe".
EXAMPLE: : **Papa me doit dix francs.** *Dad owes me ten francs.*

When followed by an infinitive, devoir can mean:

- **obligation to do something**
  EXAMPLE: **Je dois aller à l'école.** *I must go to school.*

- **to have to/ought to do something**
  EXAMPLE: **Tu dois travailler plus.** *You ought to work more.*

- **supposition**
  EXAMPLE: **Regarde ses vêtements. Elle doit être riche**. *Look at her clothes.*
  She must be rich.

(b) Falloir

This verb is impersonal. It means "to be necessary". It is only used with **il**.
EXAMPLE: **Il faut travailler**. *You must work./It is necessary to work.*

(c) Vouloir

Vouloir means "to wish, to want". If you want to be very polite, you use the Conditional.
EXAMPLE: **Je voudrais rentrer chez moi**. *I would like to go home.*
Il veut sortir avec toi.   *He wants to go out with you.*

Unit 9
Prepositions

Prepositions tell you about the position of someone or something.

9.1 Simple Prepositions

à	*to/at*
après	*after*
avant	*before*
avec	*with*
chez	*at the house of*
contre	*against*
dans	*in*
de	*of/from*
depuis	*since*
derrière	*behind*
devant	*in front of*
en	*in/into*
entre	*between*
malgré	*in spite of*
par	*through/by*
pour	*for*
sans	*without*
sauf	*except*
sous	*under*
sur	*on*
vers	*towards*

9.2 Compound Prepositions

au-dessus de	*above*
en face de	*opposite*
au lieu de	*instead of*
le long de	*along*
à cause de	*because of*
à côté de	*beside*
au-delà de	*beyond*

9.3 Note the Expressions

peu à peu	*little by little*
fait à la main	*hand made*
vendre au poids	*to sell by weight*
à la campagne	*in the country*
au lit	*in bed*
au milieu de	*in the middle of*
à mon avis	*in my opinion*
à pied	*on foot*
à droite/gauche	*on the right/left*
au premier étage	*on the first floor*
mal à la tête	*a headache*
suspendu au mur	*hanging on the wall*
du matin au soir	*from morning till night*
A moi!	*Help!*
avant de manger	*before eating*
chez nous	*at our house/home*
aller chez l'épicier	*to go to the grocer's*
aller en vacances	*to go on holidays*
de cette façon	*in this way*
couper en tranches	*to cut into slices*
en tout cas	*in any case*
en face de	*opposite, facing*
de temps en temps	*from time to time*
hors d'haleine	*out of breath*
aller par là	*to go that way*
deux fois par jour	*twice a day*
pendant la nuit	*during the night*
sous mes yeux	*before my eyes*

Exercice 1

Compléter avec un mot convenable:

1. (_____) les cours je rentre chez moi.

2. Je vais à l'école (_____) mon ami chaque jour.

3. L'auto est stationnée (_____) la maison.

4. (_____) la pluie nous allons en ville.

5. Je suis venue (_____) mes lunettes. Je ne peux rien voir.

6. Le chien dort (_____) la table.

7. Pierre a laissé son train (_____) la table dans la cuisine.

8. J'ai mis mon manteau (_____) temps froid.

9. L'église est (_____) de la mairie.

10. Nous nous sommes promenés (_____) la plage pour une heure.

11. Le soleil a commencé à briller peu (_____) peu.

12. Quel beau pull! Oui, il est fait (_____) main.

13. (_____) mon avis on ne devrait pas fumer dans un restaurant.

14. Avant (_____) manger nous sommes allés nager.

15. Maman a coupé le gâteau (_____) tranches pour les enfants.

16. Je prends les comprimés trois fois (_____) jour.

17. Michèle, va (_____) l'épicier pour une bouteille de lait.

18. L'appartement de mon ami est (_____) premier étage.

19. (_____) moi! (_____) moi! Le chien va me mordre!

20. Je vais à l'école (_____) pied quand il fait beau.

Unit 10
Conjunctions

10.1 Definition

Conjunctions join parts of a sentence together.

EXAMPLE: Paul **et** Pierre *Paul <u>and</u> Peter*

Il est intelligent **mais** paresseux.   *He is intelligent <u>but</u> lazy.*

Quand il pleut, je porte un imperméable.

<u>*When*</u> *it rains, I wear a raincoat.*

10.2 Commonly used Conjunctions

et	*and*
ou	*or*
(ni) ... ni ... ne (+ verb)	*(neither) ... nor*
mais	*but*
car	*because*
donc	*therefore*
ainsi que	*as well as*
après que	*after*
dès que	*as soon as*
comme	*as*
quand	*when*
parce que	*because*
pendant que	*while*
si	*if*

EXAMPLE: Je voudrais aller au cinéma, **mais** je n'ai pas d'argent.

I'd like to go to the cinema, but I've no money.

Je porte mon uniforme **car** je vais à l'école aujourd'hui.

I'm wearing my uniform because I'm going to school today.

Je vais à la plage **parce qu'il** fait beau ce matin.

I'm going to the beach because it is fine this morning.

Comme je n'ai pas de voiture, je dois marcher.

As I've no car, I have to walk.

10.3 Tenses After quand and dès que

When **quand** or **dès que** refer to the future, French uses the Future Tense where English uses the Present Tense.

EXAMPLE: Je te téléphonerai **dès que j'aurai** des nouvelles.

I'll phone you as soon as I have news.

Quand j'aurai assez d'argent j'irai en vacances.

When I have enough money I'll go on holidays.

10.4 The Use of si

Si takes the following combination of tenses:

si with Present and Future   **or**

si with Imperfect and Conditional

EXAMPLE: **S'il fait beau nous irons au bord de la mer.**

If the weather is fine, we will go to the seaside.

S'il faisait beau, nous n'irions pas au cinéma

If the weather was fine, we would not go to the cinema.

Exercice 1

Compléter avec un mot convenable:

EXAMPLE: Je ne sais pas quoi faire: rester ici (_____) aller chez moi. —>

Je ne sais pas quoi faire: rester ici ou aller chez moi.

1. Mon père (_____) ma mère travaillent dans le jardin le week-end.
2. Quelle jupe est-ce que tu préfères? La jupe rouge (_____) la jupe verte?
3. (_____) mon père (_____) ma mère ne parle le français.
4. J'ai faim (_____) je n'ai pas le temps de manger maintenant.
5. (_____) j'aurai fini mon travail je viendrai te voir.
6. (_____) il fait beau, nous irons à la plage.
7. Je ne peux pas aller au cinéma (_____) je n'ai pas d'argent.
8. Je ferai mes devoirs (_____) tu écris la lettre, puis nous irons en ville.
9. Tu n'as pas fait les devoirs (_____) tu resteras après les cours.
10. (_____) il a fait les devoirs, il est allé nager.

Unit 11
Verbs: Future and Passé Composé

11.1 Future Tense

The future tense shows what will happen tomorrow, next week etc.

11.2 -er Verbs and -ir Verbs

To form the future tense with regular -er and -ir verbs, you keep the infinitive and add -ai, -as, -a, -ons, -ez, -ont.

Donner		**Finir**	
je donnerai	*I will give*	je finirai	*I will finish*
tu donneras	*you will give*	tu finiras	*you will finish*
il donnera	*he will give*	il finira	*he will finish*
elle donnera	*she will give*	elle finira	*she will finish*
nous donnerons	*we will give*	nous finirons	*we will finish*
vous donnerez	*you will give*	vous finirez	*you will finish*
ils donneront	*they will give*	ils finiront	*they will finish*
elles donneront	*they will give*	elles finiront	*they will finish*

11.3 -re Verbs

To form the future tense with regular -re verbs, you drop the -e from the infinitive before adding the endings.

Vendre		**Attendre**	
je vendrai	*I will sell*	j'attendrai	*I will wait*
tu vendras	*you will sell*	tu attendras	*you will wait*
il vendra	*he will sell*	il attendra	*he will wait*
elle vendra	*she will sell*	elle attendra	*she will wait*
nous vendrons	*we will sell*	nous attendrons	*we will wait*
vous vendrez	*you will sell*	vous attendrez	*you will wait*
ils vendront	*they will sell*	ils attendront	*they will wait*
elles vendront	*they will sell*	elles attendront	*they will wait*

The key letter to identify the future tense is the letter -r-.

11.4 Irregular Verbs in the Future

aller	j'irai	*I will go*
avoir	j'aurai	*I will have*
courir	je courrai	*I will run*
devoir	je devrai	*I will have to*
envoyer	j'enverrai	*I will send*
être	je serai	*I will be*
faire	je ferai	*I will do/make*
falloir	il faudra	*it will be necessary*
pleuvoir	il pleuvra	*it will rain*
pouvoir	je pourrai	*I will be able to*
recevoir	je recevrai	*I will receive*
savoir	je saurai	*I will know*
venir	je viendrai	*I will come*
voir	je verrai	*I will see*
vouloir	je voudrai	*I will want*

Exercice 1

Mettre les verbes au futur:

EXAMPLE: Demain, je (être) en vacances.
   Demain, je serai en vacances.

1. Demain nous (aller) au cinéma.
2. Je te (téléphoner) la semaine prochaine.
3. J'(aller) à la piscine avec toi.
4. Ils (venir) la semaine prochaine.
5. Demain il (pouvoir) sortir avec toi.
6. L'année prochaine vous (être) à Londres.
7. En France vous (trouver) qu'on parle très vite.
8. Tu (donner) un plan de la ville à Paul.
9. Demain il (pleuvoir) dans le nord du pays.
10. Le facteur (arriver) plus tard avec le courrier.

Exercice 2

Ecrire au futur:

EXAMPLE: Les feuilles tombent des arbres.
           Les feuilles tomberont des arbres.

1. Paul commence son travail.
2. Ce soir j'écoute la radio et je regarde la télévision.
3. Il peut venir ce soir.
4. Nous partons en vacances en juillet.
5. Elle a un rendez-vous avec Paul.
6. Il trouve le nouveau soap très intéressant!
7. Il fait un temps magnifique.
8. Nous allons aux soldes – tu viens?
9. Jean cherche un emploi.
10. Je vais à la bibliothèque et j'emprunte deux livres.
11. Le gardien de but reçoit une médaille.
12. Mon frère est au chômage – il reste chez nous.
13. Ma petite soeur va au lycée au mois de septembre.
14. Maman attend une heure au guichet.
15. Pendant l'été, je travaille dans une usine.
16. Il pleut en Ecosse.
17. Grand-père prend sa retraite bientôt.
18. Ils vont à la boum ensemble.
19. Nous envoyons une lettre à la Maison des Jeunes.
20. Les garçons fument pendant la récréation.

11.5 The Immediate Future

An "immediate" future can be formed by using the verb aller "to go" plus an infinitive. The immediate future indicates what you are going to do.

EXAMPLE: **Je vais regarder la télévision ce soir.**

I am going to watch television this evening.

Elle va téléphoner à Paul. *She is going to telephone Paul.*

Nous allons attendre nos copains. *We are going to wait for our friends.*

> *Note* To make the above negative you simply put **ne** before the first verb (aller) and **pas** after it.
>
> EXAMPLE: **Je ne vais pas regarder la télévision.**
>
> *I am not going to watch television.*

Exercice 3

Mettre à la forme correcte:

EXAMPLE: Je mange à la cantine.
Je vais manger à la cantine.

1. Après l'école nous jouons au foot.
2. Ce soir nous sortons.
3. Papa rencontre son copain devant l'usine.
4. Demain je fête mon anniversaire.
5. J'ai dix-sept ans.
6. Il cherche son maillot de bain.
7. Qu'est-ce que tu fais?
8. Vous écoutez de la musique?
9. Elle prête son vélo à Dominique.
10. Elle a des coups de soleil.

11.6 The Passé Composé

The Passé Composé shows what has happened or what happened yesterday or last week. It is used in conversation, letter writing and for other events that took place in the past. In English there are two ways of translating the Passé Composé: *I spoke, I have spoken.* In French there is only the one form: **J'ai parlé.**

11.7 Formation of the Passé Composé

To form the Passé Composé you use the present tense of the verb avoir (also known as the auxiliary verb) along with the past participle of the second verb.
e.g. I have spoken.
Here "spoken" is the past participle and "have" is the auxiliary.

11.8 Forming the Past Participle

Regular verbs that end in -er , change the -er ending to é.
EXAMPLE: parler *to speak* parlé *spoken*

Regular verbs that end in -ir, change the -ir ending to i.
EXAMPLE: finir *to finish*   fini *finished*

Regular verbs that end in -re, change the -re ending to u.
EXAMPLE: vendre *to sell*   vendu *sold*

To sum up again:
    -er   changes to   é
    -ir   changes to   i
    -re   changes to   u

Parler

j'ai parlé	*I spoke/I have spoken*
tu as parlé	*you spoke/you have spoken*
il a parlé	*he spoke/he has spoken*
elle a parlé	*she spoke/she has spoken*
nous avons parlé	*we spoke/we have spoken*
vous avez parlé	*you spoke/you have spoken*
ils ont parlé	*they spoke/they have spoken*
elles ont parlé	*they spoke/they have spoken*

Finir

j'ai fini	*I finished/I have finished*
tu as fini	*you finished/you have finished*

il a fini	*he finished/he has finished*
elle a fini	*she finished/she has finished*
nous avons fini	*we finished/we have finished*
vous avez fini	*you finished/you have finished*
ils ont fini	*they finished/they have finished*
elles ont fini	*they finished/they have finished*

Vendre

j'ai vendu	*I sold/I have sold*
tu as vendu	*you sold/you have sold*
il a vendu	*he sold/he has sold*
elle a vendu	*she sold/she has sold*
nous avons vendu	*we sold/we have sold*
vous avez vendu	*you sold/you have sold*
ils ont vendu	*they sold/they have sold*
elles ont vendu	*they sold/they have sold*

NON PAS ENCORE.

TU AS FINI TES DEVOIRS?

> *Note* To make the above negative you put **ne** before the verb avoir and **pas** after it.

Parler

je **n'**ai **pas** parlé	*I did not speak/I have not spoken*
tu **n'**as **pas** parlé	*you did not speak/you have not spoken*
il **n'**a **pas** parlé	*he did not speak/he has not spoken*
elle **n'**a **pas** parlé	*she did not speak/she has not spoken*
nous **n'**avons **pas** parlé	*we did not speak/we have not spoken*
vous **n'**avez **pas** parlé	*you did not speak/you have not spoken*
ils **n'**ont **pas** parlé	*they did not speak/they have not spoken*
elles **n'**ont **pas** parlé	*they did not speak/they have not spoken*

11.9 Commonly Used Irregular Verbs in the Passé Composé

These should be learnt

avoir	*to have*	j'ai eu	*I had*
boire	*to drink*	j'ai bu	*I drank/have*
conduire	*to drive*	j'ai conduit	*I drove*

connaître	*to know*	j'ai connu	*I knew*
courir	*to run*	j'ai couru	*I ran*
croire	*to believe*	j'ai cru	*I believed*
devoir	*to have to*	j'ai dû	*I had to*
dire	*to say*	j'ai dit	*I said*
écrire	*to write*	j'ai écrit	*I wrote*
être	*to be*	j'ai été	*I have been*
faire	*to do/make*	j'ai fait	*I did/made*
lire	*to read*	j'ai lu	*I read*
mettre	*to put*	j'ai mis	*I put*
ouvrir	*to open*	j'ai ouvert	*I opened*
pouvoir	*to be able to*	j'ai pu	*I was able to*
prendre	*to take*	j'ai pris	*I took*
rire	*to laugh*	j'ai ri	*I laughed*
savoir	*to know*	j'ai su	*I knew*
suivre	*to follow*	j'ai suivi	*I followed*
tenir	*to hold*	j'ai tenu	*I held*
vivre	*to live*	j'ai vécu	*I lived*
voir	*to see*	j'ai vu	*I saw*
vouloir	*to wish/want*	j'ai voulu	*I wanted*

Exercice 4

Mettre la forme correcte du Passé Composé:

EXAMPLE: Il (lire) un journal.   Il ne (lire) pas son livre.
           Il a lu un journal.   Il n'a pas lu son livre.

1. Nous (travailler) très dur.
2. Elle (parler) à Jean la semaine dernière.
3. Ils (louer) des vélos.
4. J'(devoir) aller à l'école à pied.
5. Elle (mettre) un joli chapeau pour le mariage de sa fille.
6. Ce matin j'(courir) car j'étais en retard.
7. Papa (conduire) la voiture ce matin.
8. Maman (tricoter) un joli pull.

9. Nous (regarder) la télévision hier soir.

10. Ils (écouter) la radio.

11. Madame Dubonnet (ouvrir) ses volets tôt ce matin.

12. Hier soir, tu (fumer) dans la salle de bains!

13. Nous (faire) les courses au marché.

14. Où est-ce que vous (perdre) votre portefeuille.

15. Tout le monde (rire) quand la cloche (sonner).

16. Monsieur Smith (annuler) la réservation.

17. Michèle et moi (bavarder) avant les cours.

18. Le camion (déraper) sur la route.

19. Le chat (tuer) la souris.

20. Le cambrioleur (menacer) la vieille dame.

Exercice 5

Mettre au Passé Composé:

EXAMPLE: Nous voyons un grand bateau.   Elle ne vend pas son bateau.
Nous avons vu un grand bateau. Elle n'a pas vendu son bateau.

1. Je choisis une jolie veste.

2. Nous invitons Claudine à la maison.

3. Elle mange beaucoup de bonbons.

4. Vous vendez beaucoup de disques lasers?

5. Nous lisons des bandes dessinées.

6. Il fait de l'athlétisme.

7. Tu joues du violon?

8. Nous attendons le bus.

9. Je bois du café noir.

10. Vous voulez sortir en boîte?

11. Je ne dis pas ça!

12. Elle n'écrit pas à Paul.

13. Nous ne faisons pas la cuisine.

14. Ils ne veulent pas aller en ville.

15. Papa ne fait pas le ménage.

16. Ils ne jouent pas aux cartes.
17. Vous ne regardez pas les films de guerre?
18. Je ne fais pas mes devoirs.
19. Vous n'aimez pas le centre commercial?
20. Tu ne mets pas la table.

11.10 Passé Composé Agreement with Objects and Nouns

(For object pronouns see page 103)

Object Pronouns
If a direct object pronoun comes before the verb avoir in the Passé Composé, the past participle must agree with the object (just like an adjective).

EXAMPLE: **J'ai vendu ma voiture. Je l'ai vendu**e.
I have sold my car. I have sold it.

Here the **l'** is the **direct object**. It refers to the car (la voiture) which is feminine singular, therefore you add an **-e** to the past participle, just as you would do with an adjective.

When the direct object is
feminine singular: add -e
masculine singular: **add nothing**
masculine plural: add -s
feminine plural: add   -es

MAIS BIEN SÛR. JE LES AI MISES CE MATIN.

TU AS MIS LES LETTRES À LA POSTE?

Study these examples:
Elle a envoyé la lettre. Elle l'a envoyée. *She sent the letter. She sent it.*
Nous avons perdu le sac. Nous l'avons perdu. *We lost the bag. We lost it.*
Il a mis les lettres à la poste. Il les a mises **à la poste.** *He posted the letters. He posted them.*
Vous avez vu les garçons? Vous les avez vus? *Did you see the boys? Did you see them?*

Object Nouns
As with pronouns, agreement occurs when the direct object comes before the verb. If it comes after the verb there is no change to the verb.

EXAMPLE: **Il a perdu sa bicyclette.** *He has lost his bicycle.*

"**a perdu**" is the verb – "**sa bicyclette**" is the direct object. There is no change to the verb because the direct object comes after it.
but
la bicyclette qu'il a perdue *the bicycle that he lost*
Here "**la bicyclette**", which is the **direct object**, comes before the verb and it is feminine singular. Therefore you add an **-e** to the past participle "**perdu**" -> "**perdue**".

Study these examples:
les gâteaux qu'elle a achetés *the cakes that she bought*
Je n'ai pas reçu la lettre qu'elle a envoyée. *I did not receive the letter that she sent.*
Le café qu'elle a bu était bon. *The coffee that she drank was good.*
Les filles que vous avez vues sont mes cousines.

The girls that you saw are my cousins.

Exercice 6

Mettre la forme correcte du Passé Composé:
EXAMPLE: La maison que je (voir) est grande. -> La maison que j'ai vue est
grande.
Nous avons vu les filles. Nous les (voir). -> Nous avons vu les filles.
Nous les avons vues.

1. La pomme que tu (manger) était la mienne.
2. L'ascenseur qu'il (prendre) est tombé en panne.
3. Où sont les carottes que tu (acheter).
4. Les livres qu'il (emprunter) sont dans ma chambre.
5. Où est la lettre que j'(écrire).
6. Les taxis que nous (prendre) étaient noirs.
7. Où est la maison qu'ils (louer).
8. L'émission que tu (regarder) était bonne.
9. La cigarette que j'(fumer) était française.
10. J'ai vu la chambre que tu (partager) avec Monique.

11. J'(rencontrer) tes amis. Je les (rencontrer).
12. Elle a regardé les informations. Elle les (regarder).
13. Nous avons quitté l'hôtel. Nous l' (quitter).
14. J'ai trouvé les clefs de la maison. Je les (trouver).
15. Ils ont envoyé une carte postale à Paul. Ils l'(envoyer) à Paul.
16. Tu as mis les légumes sur la table. Tu les (mettre) sur la table.
17. Elle a pris l'ascenseur. Elle l' (prendre).
18. Vous avez passé l'examen? Vous l' (passer)?
19. Le chien a mordu les chattes. Le chien les (mordre).
20. J'ai reçu ta lettre. Je l' (recevoir).

Exercice 7

Mettre la forme correcte du Passé Composé:

1. Elle (voir) la maison.
2. La maison qu'elle (voir) est très belle.
3. Les repas que Maman (préparer) étaient excellents.
4. Avez-vous (rencontrer) les filles? Oui, je les (rencontrer).
5. Avez-vous (rencontrer) les garçons? Oui, je les (rencontrer).
6. Où sont les livres que j'(acheter)?
7. Elle (travailler) dans un tabac.
8. Où est le stylo que j'(acheter)?
9. La cravate que tu (mettre) est jolie.
10. Nous (faire) la vaisselle ensemble.
11. Nous (faire) nos valises.
12. La robe qu'elle (mettre) est trop grande.
13. Paul n'(téléphoner) pas à son père.
14. Jean (boire) une bouteille de bière.
15. Les cigarettes que vous (fumer) sont trop chères.
16. Il n'(faire) froid en France.
17. Il n'(pleuvoir) en Angleterre.
18. Le petit garçon (rire) quand il (voir) le clown.
19. Il n'(lire) tous les livres que je lui (donner).
20. Elle n'(rouler) trop vite.

11.11 Passé Composé with être

When using the passé composé most verbs are conjugated with avoir, however the following sixteen verbs are conjugated with être.

These should be learnt

Past Participle

aller	*to go*	allé	*gone/went*
arriver	*to arrive*	arrivé	*arrived*
descendre	*to descend*	descendu	*descended*
devenir	*to become*	devenu	*became*
entrer	*to enter*	entré	*entered*
monter	*to climb*	monté	*climbed*
mourir	*to die*	mort	*dead*
naître	*to be born*	né	*born*
partir	*to leave*	parti	*left*
rentrer	*to go home*	rentré	*went home*
retourner	*to return*	retourné	*returned*
rester	*to stay*	resté	*stayed*
revenir	*to come back*	revenu	*came back*
sortir	*to go out*	sorti	*gone out*
tomber	*to fall*	tombé	*fell*
venir	*to come*	venu	*came*

To form the Passé Composé of these verbs you use the present tense of the verb **être** along the past participle. If a verb takes être there is always an agreement between the subject and the past participle.

When the subject is
feminine singular: add an -e
masculine singular: **there is no change**
masculine plural: add an -s
feminine plural: add -es

Aller

je suis allé(e)	*I went/I have gone*
tu es allé(e)	*you went/you have gone*
il est allé	*he went/he has gone*
elle est allée	*she went/she has gone*

nous sommes allé(e)s	*we went/we have gone*
vous êtes allé(e)(s)	*you went/you have gone*
ils sont allés	*they went/they have gone*
elles sont allées	*they went/they have gone*

To make the above negative, you put **ne** before the auxiliary verb être and **pas** after it.

Aller

je ne **suis** pas **allé**(e)	*I did not go*
tu n'**es** pas **allé**(e)	*you did not go*
il n'**est** pas **allé**	*he did not go*
elle n'**est** pas **allée**	*she did not go*
nous ne **sommes** pas **allé**(e)s	*we did not go*
vous n'**êtes** pas **allé**(e)(s)	*you did not go*
ils ne **sont** pas **allés**	*they did not go*
elles ne **sont** pas **allées**	*they did not go*

Study these examples:

Elle est tombée.	*She fell/has fallen.*
Il est parti.	*He left/he has left.*
Ils sont restés.	*They stayed/they have stayed.*
Elles sont restées.	*They stayed/they have stayed.*

Exercice 8

Mettre au Passé Composé:

EXAMPLE: Marie (aller) à l'école hier.
Marie est allée à l'école hier.

1. Les garçons (aller) en ville hier.
2. Les filles (aller) en ville hier.
3. Marie-Louise (venir) nous voir.
4. Jean et Paul (venir) après dix heures.
5. Il (monter) dans sa chambre.
6. Elle (monter) dans sa chambre.

7. Ils ne (descendre) à l'arrêt.

8. Elles ne (arriver) chargées de cadeaux.

9. Paul et Maman ne (entrer) par la porte.

10. Nous (devenir) de bonnes amies.

11. Marie et moi (aller) au cinéma ensemble.

12. Ma petite soeur (naître) pendant la nuit.

13. Mes parents ne (sortir) sans moi.

14. Ma grand-mère (mourir) quand j'avais six ans.

15. Jeanne n'(sortir) au cinéma avec moi.

16. Ils (retourner) vers six heures.

17. Quand tu (sortir) tu étais propre.

18. "Je (tomber) dans la piscine", a dit Louise.

19. Ma voiture (tomber) en panne.

20. Elles (partir).

11.12 Passé Composé and Reflexive Verbs

All reflexive verbs in the Passé Composé are conjugated with **être** and agree with the direct object only if it comes before the verb.

EXAMPLE: **Elle s'est lavé**e. *She washed herself.*

Here the **"s'"** is the direct object meaning **herself**. It comes before the verb and is feminine singular, therefore an -e is added on to the past participle **lavé**, hence "**lavé**e".

se laver	*to wash oneself*
je me suis lavé(e)	*I washed myself*
tu t'es lavé(e)	*you washed yourself*
il s'est lavé	*he washed himself*
elle s'est lavée	*she washed herself*
nous nous sommes lavé(e)s	*we washed ourselves*
vous vous êtes lavé(e)(s)	*you washed yourselves*
ils se sont lavés	*they washed themselves*
elles se sont lavées	*they washed themselves*

Negative

je ne me suis pas lavé(e)	*I did not wash myself*
tu ne t'es pas lavé(e)	*you did not wash yourself*
il ne s'est pas lavé	*he did not wash himself*
elle ne s'est pas lavée	*she did not wash herself*
nous ne nous sommes pas lavé(e)s	*we did not wash ourselves*
vous ne vous êtes pas lavé(e)(s)	*you did not wash yourselves*
ils ne se sont pas lavés	*they did not wash themselves*
elles ne se sont pas lavées	*they did not wash themselves.*

Study these examples:

Elle s'est couchée.	*She went to bed.*
Ils se sont promenés.	*They went for a walk.*
Elles se sont amusées.	*They had a good time.*

REGARDE, MAMAN JE ME SUIS LAVÉE.

BUT

If the direct object comes after the verb, there is no agreement.

EXAMPLE: **Elle s'est lavé les mains**. *She washed her hands.*

Here **les mains** is the direct object and it comes after the verb, therefore there is **no** agreement.

When the reflexive pronoun becomes the indirect object e.g. **to me, to each other** etc., **no** agreement takes place.

EXAMPLE: **Elles se sont écrit**. *They wrote to each other.*

Here **se** is the indirect object. **No** agreement.

Study these examples:

Nous nous sommes brossé les dents.	*We brushed our teeth.*
Nous nous sommes parlé.	*We spoke to each other.*
Maman s'est lavé le visage.	*Mum washed her face.*

Exercice 9

Mettre au Passé Composé:

EXAMPLE: "Je (se laver)", a dit Louise.

"Je me suis lavée", a dit Louise.

1. Elle (se couper).
2. Nous (fem.) ne (s'amuser).
3. Ils (se coucher) tard.
4. Elle (se lever) de bonne heure.
5. Il (se laver) dans la salle de bains.
6. Elle ne (se fâcher).
7. Ils (se fâcher).
8. Paul et Georges (se promener).
9. Maman et Angela (se promener).
10. "Je (se reposer)", a dit Jean.
11. Elle (se laver) le visage.
12. Il (se couper) le doigt.
13. Nous (s'écrire).
14. Ils (s'aimer).
15. Elle ne (se coucher) tôt.
16. Elles ne (s'habiller).
17. Vous (fem. pl.) (se dépêcher).
18. Elles (se voir) souvent.
19. Je (fem.) (se réveiller) après toi.
20. Nous (fem.) (se reposer). Nous ne (se reposer).

Exercice 10

Mettre au Passé Composé:

1. Les enfants vont au cinéma.
2. Elles se baignent, et ensuite elles vont au cinéma.
3. Nous montons à bicyclette et nous partons pour la campagne.
4. Papa sort et il va jouer au golf.
5. Maman se repose et puis elle prépare le dîner.
6. Elle prend l'autobus et elle rentre à la maison.
7. Où mettez-vous les achats que j'achète?
8. Après le film nous allons dans un café et nous buvons un coca cola.
9. Quand elle descend de l'autobus, elle se dépêche d'aller à l'école.
10. Nous n'aimons pas les fromages que tu achètes.
11. Ils ne se lèvent pas tôt.
12. Nous évitons les embouteillages car nous partons de bonne heure.
13. Elle ne s'habille pas dans sa chambre et elle ne se lave pas dans la salle de bains.
14. Pierre va à une boum et Louise va au cinéma.
15. Ils ne rencontrent pas beaucoup d'Anglais à Lyon.
16. Elles ne s'amusent pas au parc.
17. Je (fem.) me brosse les dents chaque matin.
18. Vous (fem. pl.) entrez dans le magasin et vous demandez une bouteille de vin rouge.

Unit 12
Interrogative (Questions)

12.1 Definition

In speech a statement can be turned into a question by raising the pitch of your voice at the end of the sentence, and in writing by adding a question mark. **N'est-ce pas?** is often added and has various English equivalents.

EXAMPLE: Tu viendras, **n'est-ce pas**? *You'll come, won't you?*

Tu as fait tes devoirs, **n'est-ce pas**?

You have done your homework haven't you?

12.2 Forming questions with est-ce que

A statement can be turned into a question by putting **est-ce que** in front of it or

by inverting the verb and subject (i.e. put the verb before the subject)

EXAMPLE: **Tu pars**. *You are leaving.*

Est-ce que tu pars?/**Pars-tu?** *Are you leaving?*

12.3 Questions without est-ce que

a) When the subject is a pronoun, simply invert the verb (i.e. put the verb first).

EXAMPLE: Tu cherches ton livre. *You are looking for your book.*

Cherches-tu ton livre? *Are you looking for your book?*

Note the use of the hyphen when you invert.

b) When the subject is a noun, leave the statement but put a pronoun of the same number, gender and person after the verb.

EXAMPLE: **Ton père part déjà.** *Your father is leaving already.*

Ton père part-il déjà? *Is your father leaving already?*

c) If the verb ends in a vowel **-t-** is put before **il** or **elle**.

EXAMPLE: Ton père regarde la télé. *Your father is watching TV.*

Ton père regarde-t-il la télé? *Is your father watching TV?*

12.4 The Following Table Shows How to Form Questions without est-ce que

but remember you can stick to the simple **est-ce que** construction which is perfectly acceptable.

STATEMENT	QUESTION
Tu manges la pomme.	**Manges-tu la pomme?**
Il mange la pomme.	**Mange-t-il la pomme?**
Elle mange la pomme.	**Mange-t-elle la pomme?**
Nous mangeons les pommes.	**Mangeons-nous les pommes?**
Vous mangez les pommes.	**Mangez-vous les pommes?**
Ils mangent les pommes.	**Mangent-ils les pommes?**
Elles mangent les pommes.	**Mangent-elles les pommes?**
Ton frère mange la pomme.	**Ton frère mange-t-il la pomme?**
Ta soeur mange la pomme.	**Ta soeur mange-t-elle la pomme?**
Tes frères mangent les pommes.	**Tes frères mangent-ils les pommes?**

NEGATIVE

Tu ne manges pas la pomme.	**Ne manges-tu pas la pomme?**
Il ne mange pas la pomme.	**Ne mange-t-il pas la pomme?**
Ton frère ne mange pas la pomme.	**Ton frère ne mange-t-il pas la pomme?**

PASSÉ COMPOSÉ

J'ai mangé la pomme.	**Ai-je mangé la pomme?**
Tu as mangé la pomme.	**As-tu mangé la pomme?**
Il a mangé la pomme.	**A-t-il mangé la pomme?**
Elle a mangé la pomme.	**A-t-elle mangé la pomme?**
Nous avons mangé les pommes.	**Avons-nous mangé les pommes?**
Vous avez mangé les pommes.	**Avez-vous mangé les pommes?**
Ils ont mangé les pommes.	**Ont-ils mangé les pommes?**
Elles ont mangé les pommes.	**Ont-elles mangé les pommes?**

NEGATIVE

Il n'a pas mangé la pomme.	**N'a-t-il pas mangé la pomme?**
Elle n'a pas mangé la pomme.	**N'a-t-elle pas mangé la pomme?**
Ton frère n'a pas mangé la pomme.	**Ton frère n'a-t-il pas mangé la pomme?**

12.5 Asking about Ownership: whose/of whom?

Generally **à qui** is used to ask who owns something.
EXAMPLE: **À qui** est ce livre? *Whose book is this?*

12.6 Use of pourquoi: why?

Pourquoi is used in front of a normal interrogative construction to ask: why?
EXAMPLE: Paul part déjà. *Paul is leaving already.*
    Pourquoi est-ce que Paul part déjà?/Pourquoi Paul part-il déjà?
    Why is Paul leaving already?

12.7 Answers to Questions Introduced by pourquoi Begin with

- **parce que**   *because*
- **pour + infinitive** *(in order) to ...*
- **à cause de**   *on account of*

EXAMPLE: **Pourquoi mets-tu un manteau?**   *Why are you putting on a coat?*
    Parce que j'ai froid.   *Because I am cold.*
    Pour me protéger du froid.   *To protect myself from the cold.*
    À cause de mon rhume.   *On account of my cold.*

12.8 Other Interrogatives

Comment?	*How?*
Combien (de)?	*How many?*
Où?	*Where?*
Quand?	*When?*
De quelle couleur est/sont ...	*What colour is/are ...*
Quel âge as-tu?	*What age are you?*

12.9 Answers: oui/non/si – yes/no

To answer a question:

oui	*yes*
non	*no*
si	*yes* (contradicting what was said)

EXAMPLE: Tu viens au cinéma? **Oui**, volontiers.   *Are you coming to the cinema?*
Yes, sure.

Tu as pris mon livre? **Non**, je ne l'ai pas vu. *Did you take my book?*
No, I haven't seen it.

N'y a-t-il plus de lait? **Si**, il y en a dans le frigo.
Is there no more milk?
Yes, there is some in the fridge.

12.10 Note the Idiomatic Use

Je crois que oui.   *I think so.*
Je crois que non.   *I think not./I don't think so.*

Exercice 1

Quelle était la question?
EXAMPLE: Il part maintenant. —> Part-il maintenant?/Quand est-ce qu'il
part?

1. Tu cherches ton chien.
2. Ce chien est à moi.
3. Pierre a cassé la fenêtre.
4. Michel chante.
5. Je pense à mon ami.
6. Je pense à l'examen.
7. Mon pull est rouge.
8. C'est Michèle qui a mangé tous les bonbons.
9. Il y a vingt francs dans le porte-monnaie.
10. Je vais à l'école en auto.

11. Je dois aller à l'école.
12. Je vois des bijoux, des montres, des bagues, beaucoup de choses.
13. J'ai 1.000 francs.
14. Non, je ne chante pas bien.
15. J'ai quatorze ans.
16. Le disque est dans ma chambre.
17. Ma soeur est allée à Paris.
18. Je pars à dix heures.
19. Oui, je t'aiderai cet après-midi.
20. Je n'ai pas fait mes devoirs.

Unit 13
Verbs: The Imperfect and Conditional

13.1 The Imperfect

The imperfect tense is a past tense and shows what someone was doing, used to do, or what was happening in the past. In French the imperfect tense is a one verb tense.

EXAMPLE: **Je bavardais** *I was chatting*
Here bavardais means *was chatting*.

13.2 Formation of Imperfect Tense

To form the imperfect tense you firstly remove the ending of the **nous** form of the present tense and add -ais, -ais, -ait, -ions, -iez, -aient.

EXAMPLE: **bavarder** *(to chat)*

nous bavardons ->	**bavard ->**	**je bavardais**	*I was chatting*
nous parlons ->	**parl ->**	**je parlais**	*I was speaking*
nous attendons ->	**attend ->**	**j'attendais**	*I was waiting*

Écrire

j'écrivais	*I was writing/used to write*
tu écrivais	*you were writing*
il écrivait	*he was writing*
elle écrivait	*she was writing*
nous écrivions	*we were writing*
vous écriviez	*you were writing*
ils écrivaient	*they were writing*
elles écrivaient	*they were writing*

Note The only irregular imperfect is the verb être, see verb table on page 141.

13.3 Use of the Imperfect Tense

1. **Regular action or habit in the past.**

   EXAMPLE: **L'été dernier, je sortais chaque soir avec mes copains et copines.** *Last summer I went out (used to go out) every evening with my friends.*

   Quand j'étais petit je pleurais souvent.
   When I was small I used to cry a lot.

2. **Description of weather, emotions, scene.**

   EXAMPLE: **Hier, il pleuvait toute la journée.** *Yesterday, it rained the whole day.*

   Cécile était très suprise. *Cécile was very surprised.*

   Dans le Kerry, le vent sifflait dans les arbres.
   In Kerry, the wind was whistling in the trees.

3. **Interrupted Action**

   EXAMPLE: **Je regardais la télévision quand tu as téléphoné.**
   I was watching television when you telephoned.

   Pendant qu'elle marchait à l'école elle a vu le facteur.
   While she was walking to school she saw the postman.

13.4 Passé Composé and Imperfect

When writing in the past there will often be a mixture of the Passé Composé and the Imperfect.

Remember:

Passé Composé   actions are completed in the past

Imperfect   actions are continuing in the past or are descriptive.

Study the example below:

EXAMPLE: **Hier matin il faisait froid et je suis restée à la maison. Cependant pendant que je déjeunais, Laura m'a téléphoné et m'a invitée à passer l'après-midi chez elle. Mais, quand je suis arrivée, elle frissonnait et avait mal à la tête. La seule chose pour moi était de rentrer chez moi tout de suite.**

Exercice 1

Ecrire à l'Imparfait:

EXAMPLE: Papa (écrire) souvent.
                Papa écrivait souvent.

1. Hier le soleil (briller).
2. L'été dernier nous (nager) chaque jour dans la piscine.
3. Le moteur (faire) un drôle de bruit.
4. Pendant que nous (louer) les vélos, la police est arrivée.
5. Mes grands-parents (habiter) au rez-de-chaussée.
6. Il (être) interdit de fumer.
7. Le vent (siffler) dans les arbres.
8. Elle (demander) un aller simple quand on lui a volé son sac à dos.
9. Nous (être) ravis quand Kevin a gagné la coupe.
10. A Pâques, il (faire) très froid à Venise.
11. La jeune fille (porter) une jolie veste noire.
12. Le petit garçon (trembler) quand il m'a vu.
13. Chaque samedi je (sortir) avec mes amis.
14. Papa (être) furieux quand la voiture est tombée en panne.
15. Au restaurant Jean (commander) toujours une bouteille de vin blanc, du potage et une assiette de crudités.

Exercice 2

Ecrire au Passé Composé ou à l'Imparfait:

EXAMPLE: L'année dernière je suis allé(e) en France et chaque jour je me promenais sur la plage.

1. Maman et Papa (sortir) chaque soir.
2. J'(être) à Rome pendant une semaine.
3. Après les résultats, Jean (être) déprimé.
4. Elle (faire) la queue toute seule.
5. Pendant que tu (dormir), je (sortir) acheter le pain.

6. Pendant que tu (parler) au douanier, Sophie (sortir) en vitesse.
7. Quand elle (être) fatiguée, sa maman lui (acheter) des bonbons.
8. Qu'est-ce que tu (recevoir) pour ton anniversaire?
9. Pour mon anniversaire je (recevoir) des vêtements et de l'argent.
10. Quand je (être) petite mon père me (donner) des poupées.
11. Paul (avoir) un peu peur quand il (voir) le gros chien.
12. A la caisse elle (demander) deux billets.
13. Quand il (être) petit, il (adorer) regarder les dessins animés.
14. Elle (voir) "Les dents de la mer lll".
15. La jeune fille (faire) un stage avant de commencer son travail.
16. J'(écouter) la radio quand tu (téléphoner).
17. Tous les jours ils (faire) une excursion en car.
18. A Annecy j'(acheter) plein de souvenirs.
19. Pendant que nous (manger) les fraises, Catherine (tomber) de son vélo.
20. Elle (rouler) à soixante-dix km à l'heure quand elle (avoir) l'accident.
21. Nous (se lever) à dix heures et Paul (dormir) encore.
22. Quelle horreur, la neige (tomber) et la voiture (être) en panne.
23. Je (vouloir) toujours être le dernier!
24. Papa (finir) toujours avant dix-huit heures.
25. Mais aujourd'hui il (finir) à midi.

13.5 The Conditional

The Conditional tells us what should happen or would happen. In French the Conditional is expressed by a one word verb:

Je donnerais *I would give*
Here donnerais means *would give*.

13.6 Formation of the Conditional

As with the Future Tense the key letter to identify the Conditional is the letter -r-. To form the Conditional with regular -er, -ir, and -re verbs you keep the infinitive and add the endings of the Imperfect -ais, -ais, -ait, -ions, -iez, -aient.

chanter	*to sing*
je chanterais	*I would sing*
tu chanterais	*you would sing*
il chanterait	*he would sing*
elle chanterait	*she would sing*
nous chanterions	*we would sing*
vous chanteriez	*you would sing*
ils chanteraient	*they would sing*
elles chanteraient	*they would sing*

13.7 Use of the Conditional

The Conditional is very often followed by an **if** clause

EXAMPLE: **Si j'avais assez d'argent je** sortirais. *If I had enough money I would go out.*

There are two main types of conditions:

1. **Si + Present Tense + Future Tense**

   EXAMPLE: **S'il** fait **beau, nous** irons **en ville./Nous** irons **en ville, s'il** fait **beau.** *If it is fine, we will go to town.*

Here **fait** is the present tense and **irons** is in the future. You will also notice that it is done exactly the same in English as in French.

2. **Si + Imperfect Tense + Conditional Tense**

   EXAMPLE: **S'il** faisait **beau, nous** irions **en ville./Nous** irions **en ville, s'il** faisait **beau.** *If it was fine, we would go to town.*

Here **faisait** is the imperfect tense and **irions** is in the conditional.

To sum up again:

Si + Present + Future

Si + Imperfect + Conditional

Exercice 3

Mettre au Conditionnel:

EXAMPLE: Nous (aimer) les voir.
          Nous aimerions les voir.

1. J'(aimer) te voir.
2. Je ne (sortir) jamais sans toi!
3. (Pouvoir)-vous me téléphoner en Irlande?
4. Je (vouloir) téléphoner à ma mère.
5. Elle ne (faire) jamais cela.
6. Elle (vouloir) partir.
7. Ils (devoir) éviter les embouteillages.
8. Nous (pouvoir) visiter les musées.
9. Papa (aimer) jouer au golf.
10. Je ne (klaxonner) jamais après dix heures.

Exercice 4

Mettre le verbe à la forme correcte:

EXAMPLE: Si j'ai l'argent, je (aller) au concert.
          Si j'ai l'argent, j'irai au concert.

1. Si tu vas au cinéma, je (garder) les enfants.
2. Si elle allait en ville, elle (rencontrer) ses amies.
3. Si nous nous dépêchons, nous (arriver) à l'heure.
4. S'il travaille cette année, il (avoir) de bons résultats.
5. Nous (être) contents, si tu restais avec nous.
6. Il (se lever) tôt, s'il se couchait tôt.
7. Nous irions à la plage, s'il (faire) beau.
8. Nous te chercherons à la gare, si tu (arriver) avant onze heures.
9. Si j'étais de toi, je (accepter) la situation.
10. Nous (passer) nos vacances en Irlande, s'il faisait beau.
11. J'irais à la bibliothèque plus souvent, si je (avoir) le temps.
12. Nous (être) plus à l'aise si le fauteuil était plus grand.
13. Je (jouer) au tennis, si j'avais une raquette.
14. Si vous (être) sages, nous irons au parc.

15. Si Papa te (voir), il sera très fâché.
16. Tu apprendras beaucoup, si tu (lire) ce livre.
17. Si j'avais des bonbons, je les (manger).
18. S'il pleut, nous ne (aller) pas en ville.
19. Je ne sais pas s'il (venir).
20. Si j'étais riche, je (acheter) une grande voiture.

13.8 Tenses with Depuis, Pendant and Venir De

Depuis

Depuis means "since, for" in time phrases showing a continued action.

EXAMPLE: She has been working for five years.

Here the implication is that she is still working and the action is not yet completed. This is translated in French by using the Present tense of the verb plus **depuis**.

EXAMPLE: **Elle travaille depuis cinq ans**. *She has been working for five years.*

Similarly, if you want to say "She had been working for five years", the implication is that she was still working in the past, therefore you use the Imperfect Tense plus depuis.

Example: **Elle travaillait depuis cinq ans**. *She had been working for five years.*

Pendant

Pendant means "during, for" and is used when conveying the idea of a completed action. This is translated in French by the Passé Composé and pendant.

EXAMPLE: **Je suis resté à Lyon pendant trois semaines**.
            I stayed in Lyon for three weeks.

Venir De

Venir de... means **"to have just (done something)"**. The verb **Venir de** is used **only** in the Present and Imperfect. This verb takes the infinitive after it.

EXAMPLE: **Elle vient de me téléphoner.**   *She has just telephoned me.*
            Elle venait de me téléphoner.   *She had just telephoned me.*

Unit 14
Pronouns

14.1 Definition

A pronoun takes the place of a noun.

EXAMPLE: *John drives a car. He drives a car.*
            Here, *He* is a pronoun.

14.2 Subject Pronouns

These are found at the beginning of verbs in every tense.

EXAMPLE:	j'**aime**	*I like*
	tu **aimes**	*you like*
	il **aime**	*he likes*
	elle **aime**	*she likes*
	nous **aimons**	*we like*
	vous **aimez**	*you like*
	ils **aiment**	*they like*
	elles **aiment**	*they like*

14.3 Direct Object Pronouns

The object of a verb is the noun or pronoun that the verb acts on.
EXAMPLE: I see the boy. I see him.
            Here **"boy"** is the object (noun) and **"him"** is the object (pronoun).

Direct Object Pronouns

me	*me*
te	*you*
le	*him/it*
la	*her/it*
nous	*us*
vous	*you*
les	*them*

14.4 Indirect Object Pronouns

An indirect object usually has the word **"to"** before the noun or pronoun.
Example: I give the book **to** Paul. I give the book **to him**.
Here **"to Paul"** and **"to him"** are indirect objects.

Indirect Object Pronouns

me	*to me*
te	*to you*
lui	*to him/to her*
nous	*to us*
vous	*to you*
leur	*to them*

In French the word order of pronouns is completely different to the English order. In English the pronoun comes after the verb. **E.g. I see him**. But in French the pronoun comes before the verb. **E.g. Je le vois**.

14.5 Position of Pronouns

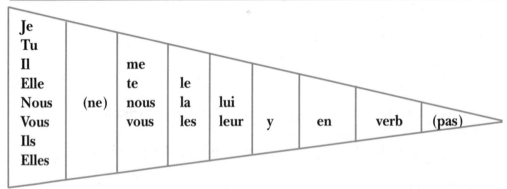

Je Tu Il Elle Nous Vous Ils Elles	(ne)	me te nous vous	le la les	lui leur	y	en	verb	(pas)

The above wedge shows the order in which the pronouns come in a sentence. Me, te, nous, vous **come in front** of le, la, les, which in turn **come in front of** lui, leur. etc.
Example: **Je ne le lui envoie pas**. *I am not sending it to him.*
       Elle ne me le donne pas. *She does not give it to me.*

You will see that the word order is the same as the wedge.

Study these examples:

Tu envoies la lettre. -> **Tu** l'envoies. *You send the letter. You send it.*
Tu envoies la lettre à Bob. -> **Tu** la lui **envoies**. *You send the letter to Bob. You send it to him.*
Je prête mon vélo. -> **Je** le **prête**. *I lend my bicycle. I lend it.*
Je prête mon vélo à Marc. -> **Je** le lui **prête**. *I lend my bicycle to Mark. I lend it to him.*
Il donne le médicament à Susie et moi. -> **Il** nous le **donne**. *He gives the medicine to Susie and me. He gives it to us.*
Paul montre ses nouveaux vêtements à ses parents. -> **Paul** les leur **montre**.
Paul shows his new clothes to his parents. Paul shows them to them.

Exercice 1

Remplacer les mots soulignés par le, la, l' ou les.
EXAMPLE: Tu connais <u>Nicolas</u>? Je le connais.

1. Elle ferme <u>la porte</u>.
2. Nous mangeons <u>le gâteau</u>.
3. Tu connais <u>ma tante</u>?
4. Elle aime <u>les westerns</u>.
5. Elle envoie <u>la lettre</u>.
6. Papa vend <u>la voiture</u>.
7. Tu vois <u>la jeune fille</u>.
8. Tu aimes <u>le cinéma</u>.
9. Ils fument <u>les cigarettes</u>.
10. Il étudie <u>l'anglais</u>.

Exercice 2

Remplacer les mots soulignés par "lui" ou "leur".
EXAMPLE: Elle parle <u>à Marie</u>.
            Elle lui parle.

1. Nous ne disons pas cela <u>aux enfants</u>.
2. Je demande l'heure <u>à Jean</u>.
3. Je passe la viande <u>à Sophie</u>.
4. Elle envoie la lettre <u>à ses parents</u>.
5. Nous donnons les livres <u>à Paul</u>.
6. Elle téléphone <u>à mon père</u>.
7. Elle téléphone <u>à sa mère</u>.
8. Les élèves obéissent <u>au professeur</u>.
9. Je montre mes photos <u>à mes parents</u>.
10. Elle prête son ordinateur <u>à Fabienne</u>.

Exercice 3

Remplacer les mots soulignés par les pronoms qui conviennent:
EXAMPLE: Je passe <u>le lait à Georges</u>.
            Je le lui passe.

1. Papa donne <u>sa voiture à Pierre</u>.
2. Elle téléphone <u>à Sophie et moi</u>.
3. Elle finit <u>ses exercices</u>.
4. Paul ne montre pas <u>ses timbres à Michèle</u>.
5. Maman envoie <u>la recette à ma grand-mère</u>.
6. Georges pousse <u>Jean et Jacques</u> dans la piscine.
7. Nous n'offrons pas <u>notre maison à nos amis</u>.
8. Je téléphone <u>à ma tante</u>.
9. Je laisse <u>ma valise</u> à la consigne.
10. Nous regardons <u>la télévision</u>.

14.6 Pronouns and the Passé Composé

As already stated on page 82 (Passé Composé agreement with objects and nouns), the past participle must agree with the object whether it is a noun or a pronoun, if it comes before the verb.

> EXAMPLE: **Elle a vendu les livres.** -> **Elle les a vendus.**
> *She has sold the books.* *She has sold them.*

Here **les** is a direct object. It comes before the verb, it is masculine plural – therefore **vendu** changes to **vendus**.

Study these examples:

Nous avons donné les livres à Paul. -> **Nous les lui avons donnés.**
We have given the books to Paul. *We have given them to him.*
Tu as mis les lettres à la poste. -> **Tu les as mises à la poste.**
You have posted the letters. *You have posted them.*
Où as-tu acheté ces fleurs? -> **Je les ai achetées au marché.**
Where did you buy these flowers. *I bought them at the market.*

Exercice 4

Remplacer les mots soulignés par des pronoms et faites les accords s'il faut:
EXAMPLE: Nous avons acheté ces fleurs pour Maman.
Nous les avons achetées pour Maman.

1. J'ai perdu mes gants.
2. Nous avons vendu notre maison.
3. J'ai prêté mon baladeur à Sophie.
4. Elle a pris mes bottes.
5. Le douanier a ouvert les valises.
6. Le facteur m'a donné ta lettre.
7. Elle a mangé les framboises.
8. Nous avons pris notre pique-nique à la plage.
9. Elle a perdu son portefeuille.
10. Il a trouvé le chemin.

14.7 The Pronouns Y and En

Y used as a pronoun means **"there, in it, on it, to it, at it"** and replaces the name of a thing or place, never a person. As you will have already seen in the wedge on page 104, it comes just before the pronoun **en** and directly after **lui** and **leur**.

EXAMPLE: **Je vais à la gare. ->**   J'y **vais.**
             I am going to the station.   *I am going there.*
             Ma copine est en France. -> Ma copine y **est.**
             My friend is in France.   *My friend is there.*
             Ils sont allés au marché. -> Ils y **sont allés.**
             They went to the market.   *They went there.*

En as a pronoun means **"some, any, of it, of them"**. It replaces **de** and is used to replace a thing. It does not always have an English equivalent.

EXAMPLE: **Avez-vous des cigarettes? ->**   **Oui j'**en **ai dans ma poche.**
             Have you any cigarettes?   *Yes I have some in my pocket.*
             Vous voulez combien de kilos? -> J'en **prends trois.**
             How many kilos do you want?   *I'll take three (of them).*
             Elle a mangé du gâteau. ->   **Elle** en **a mangé.**
             She ate some cake.   *She ate some (of it).*

Exercice 5

Remplacer les mots soulignés par "y":
Example: Elle va <u>à la piscine</u>. -> Elle y va.

1. Nous allons <u>en ville</u>.
2. Je suis allé <u>en France</u>.
3. Il va <u>au cinéma</u>.
4. Nous écrivons <u>à Paris</u>.
5. J'étais <u>à Dublin</u>.
6. Allez-vous à Londres? Oui je vais <u>à Londres</u>.
7. Elles sont allées <u>au match de football</u>.
8. Ma mère va souvent <u>au marché</u>.
9. Cécile a acheté ses souvenirs <u>à Genève</u>.
10. Elle va <u>à la gare</u>.

Exercice 6

Remplacer les mots soulignés par "en":
EXAMPLE: Il boit <u>du vin</u>. -> Il en boit.

1. Elle mange <u>du pain</u>.
2. Il a acheté <u>des livres</u>.
3. Il y a <u>du beurre</u> dans le frigo.
4. Elle rentre <u>de Paris</u>.
5. J'ai assez <u>de tomates</u>.
6. Elle a fait quatre <u>gâteaux</u>.
7. Nous avons besoin <u>d'une nouvelle voiture</u>.
8. Elle n'avait pas besoin <u>d'un couteau</u>.
9. Je prends un <u>kilo</u>.
10. Elle n'avait pas assez <u>de vin</u>.

14.8 The Imperative and Pronouns

In the imperative positive the pronouns come after the verb just as in English and are linked by hyphens.

EXAMPLE: **Donnez**-le-moi.   *Give it to me.*
          Envoie-le-lui.   *Send it to her.*
          Montre-les-leur.   *Show them to them.*

However if the imperative is negative the pronouns come before the verb and the wedge rule applies. (see page 104)

EXAMPLE: Ne me le **donnez pas**.   *Do not give it to me.*
          Ne le lui **envoie pas**.   *Do not send it to her.*
          Ne les leur **montre pas**.   *Do not show them to them.*

Note: With voici and voilà the pronouns come first.

EXAMPLE: Le **voici**.   *There he is.*
          Les **voilà**.   *There they are.*
          Nous **voici**. *Here we are.*

Exercice 7

Remplacer les mots soulignés par les pronoms qui conviennent.

EXAMPLE:　Envoie <u>la lettre à Pierre</u>. N'envoie pas <u>la lettre à Pierre</u>. ->
Envoie-la-lui. Ne la lui envoie pas.

1. Montre <u>ta chemise à Paul</u>. Ne montre pas <u>ta chemise à Paul</u>.
2. Prête <u>tes cassettes à Marie</u>. Ne prête pas <u>tes cassettes à Marie</u>.
3. Donne-moi <u>ton cahier</u>. Ne me donne pas <u>ton cahier</u>.
4. Va <u>au cinéma</u> avec Paul. Ne va pas <u>au cinéma</u> avec Paul.
5. Regardez <u>la télévision</u>. Ne regardez pas <u>la télévision</u>.
6. Mets <u>tes chaussettes</u>. Ne mets pas <u>tes chaussettes</u>.
7. Tirez <u>les rideaux</u>. Ne tirez pas <u>les rideaux</u>.
8. Ouvrez <u>la porte</u>. N'ouvrez pas <u>la porte</u>.
9. Vends <u>ta guitare à Paul</u>. Ne vends pas <u>ta guitare à Paul</u>.
10. Range <u>ta chambre</u>. Ne range pas <u>ta chambre</u>.

14.9 Possessive Pronouns

A Possessive Pronoun shows to whom a person, thing etc. belongs. It takes the place of the noun and agrees in gender and number with the noun it replaces.

EXAMPLE:　**Cette auto est** la mienne. *This car is mine.*
Cette robe est la sienne. *That dress is hers.*

14.10 Formation of the Possessive Pronoun

	Singular		Plural	
	Masculine	**Feminine**	**Masculine**	**Feminine**
mine:	**le mien**	**la mienne**	**les miens**	**les miennes**
yours:	**le tien**	**la tienne**	**les tiens**	**les tiennes**
his:	**le sien**	**la sienne**	**les siens**	**les siennes**
hers:	**le sien**	**la sienne**	**les siens**	**les siennes**
its:	**le sien**	**la sienne**	**les siens**	**les siennes**
ours:	**le nôtre**	**la nôtre**	**les nôtres**	**les nôtres**
yours:	**le vôtre**	**la vôtre**	**les vôtres**	**les vôtres**
theirs:	**le leur**	**la leur**	**les leurs**	**les leurs**

14.11 Use of the Possessive Pronoun

EXAMPLE: **Il écrit avec mon stylo et moi, j'écris avec** le sien.
He writes with my pen and I write with his.

Here **mon stylo** is masculine singular and is replaced by le sien meaning *"his"*
(pen).

Exercice 8

EXAMPLE: Voilà des bonbons. Ce sont (mine).
Voilà des bonbons. Ce sont les miens.

1. J'ai trouvé mon sac à dos. Où est (yours)?
2. Tu as mangé tes pommes, mais il n'a pas mangé (his).
3. Voici la maison. C'est (ours).
4. Regardez la belle voiture. C'est (theirs).
5. A qui est cette montre? C'est (hers).
6. A qui est cette gomme? C'est (his).
7. Voilà un gant. C'est (his).
8. Regarde ce bulletin scolaire. C'est (mine).
9. A qui sont ces pulls. Ce sont (theirs).
10. Ce sont tes gants? Oui, ce sont (mine).

14.12 Disjunctive Pronouns

These pronouns always stand on their own and are not tied to a verb.

14.13 Formation of Disjunctive Pronouns

moi	*me*	nous	*us*
toi	*you*	vous	*you*
lui	*him*	eux	*them (masc. plur.)*
elle	*her*	elles	*them (fem. plur.)*
soi	*one*		

14.14 Use of Disjunctive Pronouns

These pronouns are used when

(a) They stand alone in answer to a question.

EXAMPLE: Qui a fait cela? Toi? Lui? *Who did that? You? Him?*

(b) With prepositions.

EXAMPLE: **sans** moi   *without me*

   sans elle   *without her*

   devant eux *in front of them*

(c) In a comparison.

EXAMPLE: **Elle est plus grande que** moi. *She is bigger than me.*

(d) To express possession.

EXAMPLE: **Cette auto est à** elle. *This car belongs to her.*

(e) After c'est and ce sont.

EXAMPLE: **C'est** lui! *It's him!*

   Ce sont eux! *It's them!* but **C'est** nous! *It's us!*

(f) With **même**, to express "myself", etc.

EXAMPLE: **Elle l'a fait** elle-même. *She did it herself.*

(g) For emphasis.

EXAMPLE: Moi**, je ne fumerai jamais.** *I will never smoke.*

(h) After "chez".

EXAMPLE: **chez** lui   *(at) his house.*

   chez moi   *(at) my house.*

Exercice 9

Mettre le pronom qui convient:

EXAMPLE: Je compte sur (you).
             Je compte sur toi.

1. Il est sorti sans (us).
2. Elle est plus petite que (you).
3. C'est (us) qui avons fait cela.
4. Je rentre chez (my house).
5. C'était Jean qui a fait cela. Il l'a fait (himself).
6. Ma copine rentre chez (her house).
7. Cette valise est à (hers).
8. Elle l'a écrit (herself).
9. Il habite à côté de (me).
10. Je compte sur (them).

14.15 Interrogative Pronouns

An Interrogative Pronoun asks the question *which one?/what one?/which ones?* etc.
They agree in number and gender with the word they replace. They show that
there is a choice or an alternative.

14.16 Formation of the Interrogative Pronoun

Masculine Singular:	lequel
Feminine Singular:	laquelle
Masculine Plural:	lesquels
Feminine Plural:	lesquelles

PEUX-TU ME NOMMER UNE DES PLUS HAUTES MONTAGNES DU MONDE?
OUI, MONSIEUR. LAQUELLE?

14.17 Use of Interrogative Pronouns

EXAMPLE: **Regarde ces trois poupées. Laquelle veux-tu?**

Look at these three dolls. Which one do you want?

Here laquelle, which is feminine singular, refers to **"which one of the dolls"**.
"Doll" is feminine singular.

Study these examples

J'ai perdu deux livres, mais je ne peux pas dire lesquels. *I have lost two books, but I cannot say which ones.*
Voici deux paquets de bonbons. Lequel **veux-tu?** *Here are two packets of sweets. Which one do you want?*

Exercice 10

Mettre le pronom qui convient:

Example: Voici Paul et Nicolas. (_____) est l'aîné?
             Voici Paul et Nicolas. Lequel est l'aîné?

1. Voici les deux filles. (_____) est la plus âgée?
2. (_____) est le plus beau – le T-shirt noir ou le T-shirt jaune?
3. Voici trois stylos. Vous pouvez en prendre un. (_____) voulez-vous?
4. Vous avez le choix entre les fleurs et les chocolats. (_____) voulez-vous?
5. Il y a beaucoup de filles ici. (_____) sont tes amies?
6. Il y a beaucoup de garçons ici. (_____) sont tes amis?
7. Il y a deux maisons dans la rue. (_____) est la tienne?
8. J'ai vu trois femmes dans la pharmacie. (_____) était ta mère?
9. J'ai acheté deux petits gâteaux. (_____) veux-tu?
10. J'ai trouvé deux paires de chaussures dans le placard. (_____) sont les tiennes?

14.18 The Interrogative Pronouns qui/que/quoi?

who/whom/what?
In French there is a long form and a short form to express: *who/whom/what?*
As subject:

Persons	Things
who? **qui?/qui est-ce qui?**	what? **qu'est-ce qui?**

As object:

Persons	Things
whom? **qui?/qui est-ce que?**	what? **que?/qu'est-ce que?**

After a preposition:

Persons

to whom? **à qui?/à qui est-ce que?**

Things

to what? **à quoi?/à quoi est-ce que?**

EXAMPLE: **Persons:**

Qui chante?/Qui est-ce qui chante? *Who is singing?*

Qui vois-tu?/Qui est-ce que tu vois? *Whom do you see?*

A qui penses-tu?/A qui est-ce que tu penses? *Of whom are you thinking?*

EXAMPLE: **Things:**

Qu'est-ce qui fait du bruit? *What is making noise?*

Que vois-tu?/Qu'est-ce que tu vois? *What do you see?*

A quoi penses-tu?/A quoi est-ce que tu penses? *What are you thinking of?*

Note **qui** is never shortened to **qu'**.

EXAMPLE: Sais-tu **qui** il est? *Do you know who he is?*

14.19 Demonstrative Pronouns

The Demonstrative Pronoun takes the place of the noun and agrees in number and gender with the word it replaces.

14.20 Formation of the Demonstrative Pronoun

Masculine Singular:	celui	*this, that*
Feminine Singular:	celle	*this, that*
Masculine Plural:	ceux	*these, those*
Feminine Plural:	celles	*these, those*

14.21 Use of the Demonstrative Pronoun

The Demonstrative Pronouns cannot stand on their own in French. They must be followed by:

• **ci or là**

• **a Relative Pronoun**

• **the Preposition de**

(a) When followed by -ci they mean "this/these/the latter".
When followed by -là they mean "that/those/the former".

EXAMPLE: **Laquelle est ta maison?** Celle-ci **ou** celle-là?
Which is your house? *This one or that one?*

(b) When followed by a relative pronoun they mean "the man who/the woman who/he who" etc.

EXAMPLE: Ceux **qui arrivent en retard auront une colle**.
Those who arrive late will be detained.

Celui **qui dit cela ment**. *He who says that is lying.*

(c) When followed by de they mean "that of/those of/'s".

EXAMPLE: **Mon vélo est neuf mais** celui **de Jean est vieux**.
My bike is new but John's is old.

Les fleurs de ma mère sont très jolies, mais celles **de sa voisine sont magnifiques.** *My mother's flowers are very pretty, but her neighbour's are magnificent.*

Exercice 11

Remplir les blancs avec "celui-ci/là, celle-ci/là, ceux-ci/là, ou celles-ci/-là.
EXAMPLE: Prenez un fruit. (_____) est bon, mais (_____) est meilleur.
Prenez un fruit. Celui-ci est bon, mais celui-là est meilleur.

1. Cette serviette est la mienne. (_____) est la tienne.
2. Ces élèves viennent de la France. (_____) de Paris, et (_____) de Lyon.
3. Je voudrais des chaussures. Puis-je essayer (_____)?
4. Quel est ton sac? (_____) ou (_____)?
5. Quel livre t'a plu? (_____) ou (_____)?
6. Tu n'as pas de chaise. Prends (_____) ou (_____).
7. Regarde ces deux maillots de bains. (_____) est trop grand et (_____) est trop petit.
8. Voici quelques bouteilles de vins. (_____) sont de Beaujolais et (_____) sont de Bordeaux.

9. Je ne peux pas décider entre ces deux hôtels. (_____) est à deux km. de la plage et (_____) est à trois km. de la plage.

10. Je n'aime pas ces chaussures. (_____) sont en cuir et (_____) sont en plastique.

Exercice 12

Remplir les blancs avec "celui/celle/ceux/celles"

EXAMPLE: (_____) qui est allée au musée n'avait pas ma permission.
    Celle qui est allée au musée n'avait pas ma permission.

1. Le professeur de ma soeur est gentil mais (_____) de mon frère est toujours de mauvaise humeur.

2. De quelle fille parlez-vous? De (_____) qui est près de la porte.

3. De quel garçon parlez-vous? De (_____) qui est près de la porte.

4. La voiture de mon père est grande, mais (_____) de Monsieur Bolger est énorme!

5. J'aime bien les jeans que tu m'as achetés Maman, mais (_____) de Marie sont plus à la mode!

6. Mon bulletin scolaire était moyen, mais (_____) de Jean était une catastrophe!

7. Vous pouvez sortir si vous voulez, mais (_____) qui veulent rester doivent fermer la porte à clef.

8. Les tartes de Tante Martine sont très bonnes, mais je préfère (_____) de Maman.

9. (_____) qui ne mangent pas leur potage n'auront pas de désert.

10. Quel garçon préfères-tu? (_____) qui porte le blouson en cuir?

Unit 15
Negatives

15.1 Definition

To make a statement negative in French you put **ne** before the verb and **pas** after it.

EXAMPLE: Il mange. -> **Il ne mange** pas. *He eats. He doesn't eat.*

15.2 Negatives

ne...pas	*not*
ne...point	*not at all*
ne...plus	*no more, no longer*
ne...guère	*hardly*
ne...jamais	*never*
ne...rien	*nothing*
ne...personne	*nobody*
ne...que	*only*
ne...ni ... ni	*neither ... nor*

15.3 Negatives With a One Verb Tense

In a one verb tense the **ne** goes before the verb and the **negative** after it.

EXAMPLE:
Il ne boit pas.	*He doesn't drink.*
Il ne boira pas.	*He will not drink.*
Il ne boirait pas.	*He would not drink.*
Il ne buvait pas.	*He was not drinking.*

Study these examples:

Elle ne **sort** jamais.	*She never goes out.*
Il ne **dira** rien.	*He will say nothing.*
Elle ne **mange** ni **viande** ni **fromage**.	*She eats neither meat nor cheese.*

15.4 Negatives with a Two Verb Tense

In a two verb tense (Passé Composé) **ne** comes before the verbs avoir or être, and the **negative** before the past participle.

EXAMPLE: **Elle n'a rien vu.**   *She saw nothing.*

Study these examples:

      Je n'ai jamais vu Londres.   *I have never seen London.*

      Elle n'est pas arrivée.   *She hasn't arrived.*

      Il ne m'a plus écrit.   *He no longer wrote to me.*

However, the negatives **ne...personne, ne...que,** and **ne...ni ... ni** come after the past participle.

EXAMPLE: **Je n'ai vu personne.**   *I have seen nobody.*

      Elle n'a mangé que du pain. *She only ate bread.*

Note: **Personne** and **rien** may stand at the beginning of a sentence, with **ne** following.

EXAMPLE: **Personne ne m'aime!**   *Nobody likes me!*

      Rien ne marche.   *Nothing is working.*

Exercice 1

Mettre la forme correcte suivant l'exemple:

EXAMPLE: Paul va au théâtre. (ne...jamais)

      Paul ne va jamais au théâtre.

1. Nous pensons aux examens. (ne...jamais)
2. Elle fume. (ne...plus)
3. Je mange des bonbons. (ne...guère)
4. Il faisait ses exercices. (ne...jamais)
5. J'ai cinq francs dans ma poche. (ne...que)
6. Tu veux du vin et de la bière?. (ne...ni...ni)
7. En ce moment je sors. (ne...guère)
8. Nous fumerons. (ne...jamais)
9. Il mange des oeufs et de la viande. (ne...ni...ni...)
10. Je connais. (ne...personne)

Exercice 2

Compléter:

EXAMPLE: Ma cousine est venue nous rendre visite. (ne...jamais)
            Ma cousine n'est jamais venue nous rendre visite.

1. Paul a vendu sa maison à son copain. (ne..pas)
2. Jean a fait du cheval. (ne...jamais)
3. Elle a marché trois kilomètres. (ne..que)
4. Elle a aimé. (ne...personne)
5. Ils sont venus nous voir. (ne...guère)
6. Michèle a prêté sa moto à son père. (ne...pas)
7. Il a conduit quand il avait trop bu. (ne...jamais)
8. Il a souffert des blessures légères. (ne...que)
9. J'ai entendu. (ne...rien)
10. Je suis resté au soleil. (ne...jamais)

Unit 16
Relative Pronouns

16.1 Definition

The Relative Pronoun refers back to someone or something already mentioned.

Note: To find the Subject or Object of a sentence, ask yourself:
1. Where is the verb (action word)?
2. Who does the action of the verb? (= Subject)
3. The Subject does what? (= Object)

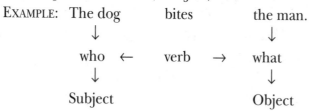

EXAMPLE: The dog   bites   the man.

    who ← verb → what

    Subject   Object

16.2 Qui/que/qu' – who/which/that/whom

Look at the following sentences:

The girl who is wearing the black T-shirt is my sister.
The present which my parents gave me is beautiful.

Each sentence is made up of two clauses or parts.

"The girl is my sister." = Main Clause.
"who is wearing the black T-shirt" = Subordinate Clause.
"The present is beautiful" = Main Clause.
"which my parents gave me" = Subordinate Clause.

Now look at them in French:
La fille qui porte le T-shirt noir est ma soeur.
Le cadeau que mes parents m'ont donné est beau.

If the word "who/which" refers to the Subject, you use qui in French.

If the word "whom/which/that" refers to the Object, you use que/qu' (before a vowel or a silent h).

Note: Do not forget the agreement of the Passé Composé when dealing with relative clauses.

EXAMPLE: Les jeunes filles **que** tu as **rencontrées** étaient canadiennes.

The young girls whom you met were Canadian.

Exercice 1

Mettre la forme correcte de: **qui/que/qu'**:

1. La femme (_____) parle si vite est ma tante.
2. Les gens (_____) vont à la plage portent des maillots.
3. Le chien (_____) tu as vu dans le jardin s'appelle Rex.
4. L'homme (_____) on voit souvent à la télé est chanteur.
5. La voiture (_____) mon père conduit est une Renault.
6. Où sont les bonbons (_____) j'ai achetés ce matin?
7. La voiture (_____) est dans le garage est une Peugeot.
8. Les livres (_____) j'ai lus pendant les vacances étaient passionnants.
9. Le chemisier (_____) j'ai vu dans la vitrine coûte très cher.
10. L'enfant (_____) est malade reste au lit.

16.3 Relatives with a Preposition or Combined with à or de

When used with a preposition the following construction is used in French:

	Singular	Plural
masculine	**lequel**	**lesquels**
feminine	**laquelle**	**lesquelles**

EXAMPLE: **Le garçon avec lequel je vais jouer au football s'appelle Pierre.**
The boy with whom I'm going to play football is called Peter.
La maison dans laquelle il habite est loin de la ville.
The house in which he lives is far from the town.

Combined with **à**:

	Singular	Plural
masculine	**auquel**	**auxquels**
feminine	**à laquelle**	**auxquelles**

EXAMPLE: **Le garçon auquel il parle est malade.**
The boy to whom he is speaking is ill.
Les examens auxquels je pense sont importants.
The exams (which) I'm thinking about are important.

Combined with **de**:

	Singular	Plural
masculine	**duquel**	**desquels**
feminine	**de laquelle**	**desquelles**

EXAMPLE: Le cheval sur le dos **duquel** le garçon était assis était très vieux.
The horse on whose back the boy was sitting was very old.

Note: When referring to a Subject, **qui** may be used with a Preposition instead of **lequel.**

EXAMPLE: Le garçon **avec qui/avec lequel** je joue au tennis.
The boy with whom I play tennis.

16.4 Use of dont – whose/of whom/of which

Dont is used with verbs that are followed by **de**, see examples on page 17.

EXAMPLE: Le garçon **dont** je parle est mon meilleur ami.
The boy of whom I'm speaking is my best friend.
La fille **dont** le père est au chômage ne peut pas venir au cinéma.
The girl whose father is unemployed cannot come to the cinema.
Le chien **dont** j'ai peur s'appelle Rex.
The dog I'm afraid of is called Rex.
Le bâtiment **dont** le toit brûle est la mairie.
The building whose roof is on fire is the town hall.

Note **Dont** always stands first in its own clause. The word order is **dont +** Subject + Verb + Object.

Exercice 2

Compléter:

1. La porte par (_____) je suis entré(e) est lourde.
2. Le chien (_____) il donne un os s'appelle Minor.
3. La maison dans (_____) je suis né(e) a pris feu l'année dernière.
4. Le dictionnaire (_____) j'ai besoin est sur le rayon à gauche.
5. La maison sur le toit (_____) il y a une antenne est très vieille.
6. L'auto (_____) je me sers n'est pas à moi.
7. Le château dans le jardin (_____) il y a une fontaine est magnifique.
8. Le fils (_____) il est si fier a gagné le prix.
9. Les enfants avec (_____) je joue sont mes amis.
10. La maison (_____) la cave est inondée appartient aux Laroche.
11. Les lapins (_____) il donne des carottes sont tous blancs.
12. Le livre (_____) j'ai oublié l'auteur était très drôle.
13. La maison devant (_____) l'auto est stationnée est à vendre.
14. L'histoire (_____) je parle s'est vraiment passée.
15. Les enfants parmi (_____) il y avait trois filles jouaient au basket.
16. La fille (_____) j'ai oublié l'adresse habite à Dublin.
17. La table sur (_____) il y a tant de livres appartient à Nicole.
18. L'enfant (_____) la mère est malade pleure.
19. Il a réparé l'auto (_____) les freins ne marchaient pas.
20. L'homme (_____) j'ai aidé la fille est venu me voir.

16.5 Ce qui/ce que/ce dont – that, which or what (when not asking a question)

To express *the thing which* or *what,* French uses :

> **ce qui** for the Subject
> **ce que** for the Object
> **ce dont** for the Possessive.

EXAMPLE:　　Je ne sais pas **ce qui** est arrivé. *I don't know what happened.*
Je ne crois pas **ce qu'**il dit. *I don't believe what he says.*
Ce dont j'ai besoin **c'est** une boisson fraîche.
What I need is a cool drink.

Exercice 3

Mettre la forme correcte de: **ce qui/ce que/ce dont**:

1. (_____) me surprend c'est qu'il n'est pas encore ici.
2. Il m'a donné une liste de (_____) il a besoin.
3. Je ne fais jamais (_____) il me dit.
4. (_____) je veux, c'est d'aller en vacances.
5. J'aimerais acheter tout (_____) il y a dans la bijouterie.
6. Je me demande (_____) s'est passé.
7. J'ai vu tout (_____) il a fait.
8. Je me demande (_____) il veut.
9. (_____) je voudrais savoir, c'est quand il va arriver.
10. (_____) il a peur, ce sont les araignées.

Exercice 4

Ecrire la forme correcte du pronom relatif:

1. Le marché (_____) je vais ce matin est Place de l'Eglise.
2. (_____) j'ai besoin, c'est plus d'argent!
3. Le chien (_____) mange l'os m'a mordu hier.
4. Le cinéma en face (_____) il y a une boulangerie est fermé le lundi.
5. La femme (_____) le père est mort est toujours triste.
6. L'auto (_____) il a achetée hier est une Peugeot.
7. Les devoirs (_____) tu as faits étaient excellents.
8. La fenêtre par (_____) le voleur est entré est cassée.
9. L'examen (_____) je pense tant commence le 10 juin.
10. L'enfant (_____) je t'ai dit le nom ne vient pas.
11. Le supermarché (_____) se trouve rue Louis XIV est très bon marché.
12. Je ne comprends pas (_____) il dit. Il parle trop vite.
13. (_____) m'énerve tant c'est l'aboiement des chiens.
14. Les gens (_____) j'ai donné tant d'argent n'ont même pas dit "merci".
15. Le stylo (_____) j'ai trouvé sur la table n'a plus d'encre.

16. Les amis avec (_____) elle joue au basket sont venus la chercher.

17. (_____) m'intéresse surtout c'est l'anglais.

18. Les pommes (_____) maman a achetées ne sont pas mûres.

19. La jambe (_____) elle s'est cassée fait mal.

20. Les livres (_____) j'ai perdus viennent de la bibliothèque.

Unit 17
Indirect or Reported Speech

When changing from Direct to Indirect Speech the following rules apply:

17.1 A Statement

Put **il/elle dit que** in front of the statement and make the pronouns correspond if necessary.

EXAMPLE: **J'ai mangé cinq pommes.** *I ate five apples.*
Il dit qu'il a mangé cinq pommes. *He says he ate five apples.*
Il fait froid aujourd'hui. *It is cold today.*
Il dit qu'il fait froid aujourd'hui. *He says it is cold today.*

17.2 A Question

In a question introduced by a question word, put **il/elle demande** in front of it and invert the Verb and Pronoun.

EXAMPLE: **Quand vient-il nous voir?** *When is he coming to see us?*
Elle demande quand il vient nous voir.
She asks when he is coming to see us.

17.3 A Question Introduced by est-ce que

In a question introduced by **est-ce que** or without a question word, put **il/elle demande si** in front of it.

EXAMPLE: **Est-ce qu'il fait froid aujourd'hui?** *Is it cold today?*
Il demande s'il fait froid aujourd'hui. *He asks whether it is cold today.*
As-tu fait les devoirs? *Did you do the homework?*
Elle demande si tu as fait les devoirs.
She asks whether you did the homework.

17.4 An Order Changes as Follows

Fermez la porte. *Close the door.*
Il lui/leur dit de fermer la porte. *He told him/her/them to close the door.*

Note The Imperative **fermez** changes to the Infinitive, just like in English.

Ne fermez pas la fenêtre. *Don't close the window.*
Il lui/leur dit de ne pas fermer la fenêtre.

> *He told him/her/them not to close the window.*

Exercice 1

Mettre **"Il dit ..."** ou **"Il demande ..."** devant les phrases suivantes:

1. J'ai vu le monde entier.
2. Est-ce que tu as fait le gâteau?
3. Où est-ce que tu vas?
4. Ils s'amusent bien.
5. Ouvrez la porte.
6. Ne mettez pas vos chaussures devant la porte.
7. Ecoutez le disque.
8. Ne parle pas si vite.
9. Je ne comprends pas ce qu'il dit.
10. Est-ce que tu viens jouer au tennis?
11. Ferme la porte, Pierre.
12. Mettez les bouteilles dans le frigo, mes enfants.
13. Comment est-ce qu'on dit "swimming pool"?
14. As-tu compris les maths?
15. N'allez pas par là, Monsieur.
16. Donne les jouets au bébé, Claire.
17. Ne donnez pas tant de bonbons à l'enfant.
18. Quel âge as-tu?
19. Est-ce que tu as envie d'aller nager?
20. Il fait trop chaud ici.

Unit 18
Revision Exercises

Fill in the blanks, give the correct forms of the words in brackets, replace underlined words with pronouns, write numbers out in full or follow instructions, as required:

1. Ces bonbons coûtent 20 francs (_____) kilo.
2. Les (enfant) cherchent des (caillou) sur la plage.
3. Il travaille (bon) mais son frère travaille (mauvais) car il est paresseux.
4. (_____) j'ai peur ce sont des serpents.
5. Ces oeufs coûtent 15 francs (_____) douzaine.
6. Je me souviens de (tout) les (détail) de l'histoire.
7. Claire parle le français (meilleur) que Suzanne car elle a été en France.
8. "Va à la porte, Michel." – Que dit M. Duclos à Michel?
9. Maman a pleuré en (lire) le livre.
10. Il parle (_____) son ami, Pierre.
11. Les (bijou) de ma grand-mère sont (magnifique).
12. (_____) de manger je me lave les mains.
13. "Ne mangez pas en classe." – Que dit Mme Laroche aux enfants?
14. En (arriver) tard à l'école, elle a rencontré la directrice.
15. Je vais (_____) l'église le dimanche.
16. Les (fille) ont les (oeil) et les (cheveu) de leur mère mais les (jambe) de leur père.
17. Il va à Paris deux fois (_____) mois.
18. "Il fait trop chaud aujourd'hui." – Que dit Paul?
19. Elle est tombée en (traverser) la rue.
20. Ils vont (_____) château de Versailles.
21. Il y a deux (trou) dans les (pneu) de ma bicyclette.
22. De temps (_____) temps nous allons au théâtre.
23. "Combien de bonbons as-tu encore?" – Qu'est-ce que Claire demande à Michèle?
24. Elle (parler) à Jean la semaine dernière.

25. Les élèves vont (_____) piscine chaque jeudi.
26. Les (Laroche) vont en vacances en juin.
27. J'habite à côté (_____) l'école.
28. "Quel âge as-tu, Pierre?" - Qu'est-ce que Mme Laroche demande?
29. Hier soir, tu (fumer) dans la salle de bains!
30. Le prof parle (_____) parents de Julie.
31. La (petit) Hélène était (heureux) avec sa (nouveau) bicyclette mais sa soeur était (jaloux).
32. Il est malade (_____) hier.
33. Quarante et quarante font (_____).
34. La pomme que tu (manger) était la mienne.
35. Le facteur frappe (_____) porte quand il a un télégramme.
36. La semaine (dernier) j'ai acheté une (beau) robe (blanc) pour ma nièce (favori).
37. (_____) Paul (_____) Pierre n'est venu me voir quand j'étais malade.
38. Dix-sept et cinquante font (_____).
39. J'ai trouvé les clefs de la maison. -> Je les ai (trouver).
40. Je m'intéresse (_____) jeux d'ordinateur.
41. La (vieux) dame a un (jeune) neveu qui est très (sportif).
42. Je te donnerai un coup de fil (_____) j'aurai des nouvelles.
43. Nous avons (_____) cours de français par semaine.
44. Ils ont envoyé la carte postale à Paul. -> Ils la (envoyer) (à Paul).
45. Le père (_____) Louise est malade.
46. Mon (nouveau) ami s'appelle Jean-Paul. Il a les (oeil) (bleu) et des (cheveu) (brun).
47. Il a travaillé au jardin (_____) j'étais en ville et tout était fait quand je suis rentré.
48. $65 + 7 = 72$
49. Tu as mis les légumes sur la table. -> Tu les (mettre) sur la table.
50. Le chien (_____) petit garçon s'est perdu dans la foule.
51. Après une (long) journée en ville le (vieux) homme était très fatigué.
52. Je ne vais pas à l'école aujourd'hui (_____) je suis malade.
53. $54 + 66 = 120$

54. L'été dernier nous (nager) chaque jour dans la piscine.

55. Je reviens (_____) maison de mon ami à neuf heures.

56. Maman était (fier) de sa fille (intelligent) qui a gagné le (premier) prix.

57. S'il fait beau, nous (allons) à la plage.

58. Ecrivez en toutes lettres: 67 41 80 65

59. Nous (être) ravis quand Kevin a gagné la coupe.

60. Il revient (_____) Paris.

61. Les (méchant) enfants ont cassé les (beau) jouets de Paul.

62. S'il pleuvait nous ne (aller) pas en ville.

63. Ecrivez en toutes lettres: 75 36 30 31

64. Quand elle (être) fatiguée, sa maman lui (acheter) des bonbons.

65. Il va (_____) Paris.

66. (_____) fille-ci est ma soeur. (_____) fille-là est la soeur de Catherine.

67. La femme (_____) pleure a perdu son enfant.

68. Le (_____) ma mère regarde le "Late Late Show".

69. Elle (rouler) à soixante-dix km à l'heure quand elle a eu l'accident.

70. J'ai acheté (_____) pain, (_____) fromage et une bouteille (_____) vin au supermarché.

71. Je vais à l'école à onze heúres (_____) matin, car je vais chez le dentiste d'abord.

72. L'homme (_____) vous cherchez habite au numéro 25.

73. Déjà (_____), le weekend s'approche!

74. Tu connais ma tante? Oui, je (_) connais.

75. J'ai peur (_____) chien des Duclos.

76. Le chien a mangé (_____) le steak de Papa! (_____) la famille a ri, sauf Papa, qui était (furieux).

77. Les devoirs (_____) il a (fait) sont pleins de fautes.

78. Ecrire la date en toutes lettres: 1758

79. Tu aimes le cinéma. Non, je (____ ____ ____)

80. Je joue (_____) piano et (_____) guitare.

81. (_____) le monde connaît Dior et Chanel.

82. Je n'aime pas une fille (_____) bavarde sans cesse en classe.

83. Ecrire la date en toutes lettres: 1542

84. Nous ne disons pas cela <u>aux enfants</u>.
85. Je me méfie (_____) chats. Ils griffent souvent.
86. (_____) les enfants dans la classe de Mme Duclos sont allés (_____) théâtre avec elle.
87. Les livres (_____) j'ai achetés en juin coûtent plus cher déjà.
88. Ecrire la date en toutes lettres: 1892
89. Elle téléphone <u>à sa mère</u>.
90. Je n'ai (_____) frères (_____) soeurs. Je suis enfant unique.
91. (_____) âge as-tu?
92. Les lunettes avec (_____) elle lit sont trop (fort) pour moi.
93. Ecrire en toutes lettres: Le vol arrive à (12 midnight).
94. Paul ne montre pas <u>ses timbres à Michèle</u>. Il ne (_____ _____)
95. Donnez-moi une bouteille (_____) vin, un paquet (_____) sucre et 250 grammes (_____) jambon, s'il vous plaît.
96. (_____) jupe as-tu choisie? La rouge ou la verte?
97. La maison dans (_____) Victor Hugo est né est célèbre maintenant.
98. Ecrire en toutes lettres: Le syndicat d'initiative ouvre à (9 a.m.).
99. Georges pousse <u>Jean et Jacques</u> dans la piscine.
100. J'ai beaucoup (_____) devoirs. Je ne peux pas aller nager ce soir.
101. Il va en vacances avec (_____) oncle et (_____) tante cet été car (_____) parents doivent travailler à la ferme de (_____) grand-père.
102. L'oiseau (_____) elle donne des grains chante du matin au soir.
103. Quel temps fait-il?: Maintenant il (_____) je ne peux pas sortir. Je n'ai pas de parapluie.
104. Elle a pris <u>mes bottes</u>.
105. Combien (_____) timbres as-tu? Moi j'en ai déjà 3.000!
106. Nous avons (_____) clefs et (_____) billets, mais où est (_____) valise?
107. Les gens (_____) il parle ne comprennent pas ce qu'il leur dit. Il parle si (_____) l'anglais.
108. Quel temps fait-il?: Le lac est couvert de glace. Il (_____).
109. <u>Le facteur</u> m'a donné <u>ta lettre</u>.
110. Je voudrais un peu (_____) crème fraîche avec les fraises, s'il vous plaît.
111. "(_____) père est prof d'anglais et (_____) mère est ménagère", dit Claire.

112. L'homme (_____) tu connais le fils est mon dentiste.
113. Paul (tousser) maintenant.
114. Il a trouvé le chemin.
115. J'ai acheté (_____) belles chaussures hier.
116. Les enfants ont perdu (_____) chien dans la gare, et ils le cherchent partout.
117. Le garçon (_____) le père travaille à Paris est allé lui rendre visite pour l'été.
118. Chaque samedi je (jouer) au tennis.
119. Elle l'a écrit (herself).
120. Il porte (_____) chaussettes noires.
121. Il va (général) à la bibliothèque le lundi.
122. (_____) je parle c'est la difficulté d'apprendre le français.
123. Je (tomber) toujours.
124. Ne (_____) pas de bonbons avant ton repas. (manger)
125. Il habite à côté de (me).
126. Il y a trop (_____) fautes dans la dictée, Michel.
127. Il marche (lent) car il a mal au pied.
128. (_____) j'ai besoin c'est beaucoup de patience.
129. J'aime bien les jeans que tu m'as achetés Maman, mais, (_____) de Marie sont plus à la mode!
130. D'où viennent tous ces (beau) (cadeau)?
131. Elle chante (constant) quand elle est heureuse.
132. Je ne comprends pas (_____) il dit.
133. Ne (_____) pas maintenant, Papa, il est tard. (travailler)
134. Elle fume (ne...plus)
135. Tu sais (_____) est arrivé?
136. Tu veux du vin et de la bière?. (ne...ni...ni)
137. Ils sont venus nous voir. (ne...guère)

Unit 19
Verb Table

Irregular Verbs

Infinitive	Present Participle	Present	Passé Composé
Aller (to go)	allant	je vais tu vas il va elle va nous allons vous allez ils vont elles vont	je suis allé (e) tu es allé (e) il est allé elle est allée nous sommes allé (e) s vous êtes allé (e)(s) ils sont allés elles sont allées
S'Asseoir (to sit down)	s'asseyant	je m'assieds tu t'assieds il s'assied elle s'assied nous nous asseyons vous vous asseyez ils s'asseyent elles s'asseyent	je me suis assis (e) tu t'es assis (e) il s'est assis elle s'est assise nous nous sommes assis(e) vous vous êtes assis(e) (s) ils se sont assis elles se sont assises
Avoir (to have)	ayant	j'ai tu as il a elle a nous avons vous avez ils ont elles ont	j'ai eu tu as eu il a eu elle a eu nous avons eu vous avez eu ils ont eu elles ont eu

Imperfect	Future	Conditional
j'allais	j'irai	j'irais
tu allais	tu iras	tu irais
il allait	il ira	il irait
elle allait	elle ira	elle irait
nous allions	nous irons	nous irions
vous alliez	vous irez	vous iriez
ils allaient	ils iront	ils iraient
elles allaient	elles iront	elles iraient
je m'asseyais	je m'assiérai	je m'assiérais
tu t'asseyais	tu t'assiéras	tu t'assiérais
il s'asseyait	il s'assiéra	il s'assiérait
elle s'asseyait	elle s'assiéra	elle s'assiérait
nous nous asseyions	nous nous assiérons	nous nous assiérions
vous vous asseyiez	vous vous assiérez	vous vous assiériez
ils s'asseyaient	ils s'assiéront	ils s'assiéraient
elles s'asseyaient	elle s'assiéront	elles s'assiéraient
j'avais	j'aurai	j'aurais
tu avais	tu auras	tu aurais
il avait	il aura	il aurait
elle avait	elle aura	elle aurait
nous avions	nous aurons	nous aurions
vous aviez	vous aurez	vous auriez
ils avaient	ils auront	ils auraient
elle avaient	elles auront	elles auraient

Infinitive	Present Participle	Present	Passé Composé
Boire (to drink)	buvant	je bois	j'ai bu
		tu bois	tu as bu
		il boit	il a bu
		elle boit	elle a bu
		nous buvons	nous avons bu
		vous buvez	vous avez bu
		ils boivent	ils ont bu
		elles boivent	elles ont bu
Conduire (to drive)	conduisant	je conduis	j'ai conduit
		tu conduis	tu as conduit
		il conduit	il a conduit
		elle conduit	elle a conduit
		nous conduisons	nous avons conduit
		vous conduisez	vous avez conduit
		ils conduisent	ils ont conduit
		elles conduisent	elles ont conduit
Connaître (to know)	connaissant	je connais	j'ai connu
		tu connais	tu as connu
		il connaît	il a connu
		elle connaît	elle a connu
		nous connaissons	nous avons connu
		vous connaissez	vous avez connu
		ils connaissent	ils ont connu
		elles connaissent	elles ont connu
Courir (to run)	courant	je cours	j'ai couru
		tu cours	tu as couru
		il court	il a couru
		elle court	elle a couru
		nous courons	nous avons couru
		vous courez	vous avez couru
		ils courent	ils ont couru
		elles courent	elles ont couru

Imperfect	Future	Conditional
je buvais	je boirai	je boirais
tu buvais	tu boiras	tu boirais
il buvait	il boira	il boirait
elle buvait	elle boira	elle boirait
nous buvions	nous boirons	nous boirions
vous buviez	vous boirez	vous boiriez
ils buvaient	ils boiront	ils boiraient
elles buvaient	elles boiront	elles boiraient
je conduisais	je conduirai	je conduirais
tu conduisais	tu conduiras	tu conduirais
il conduisait	il conduira	il conduirait
elle conduisait	elle conduira	elle conduirait
nous conduisions	nous conduirons	nous conduirions
vous conduisiez	nous conduirez	vous conduiriez
ils conduisaient	ils conduiront	ils conduiraient
elles conduisaient	elles conduiront	elles conduiraient
je connaissais	je connaîtrai	je connaîtrais
tu connaissais	tu connaîtras	tu connaîtrais
il connaissait	il connaîtra	il connaîtrait
elle connaissait	elle connaîtra	elle connaîtrait
nous connaissions	nous connaîtrons	nous connaîtrions
vous connaissiez	vous connaîtrez	vous connaîtriez
ils connaissaient	ils connaîtront	ils connaîtraient
elles connaissaient	elles connaîtront	elles connaîtraient
je courais	je courrai	je courrais
tu courais	tu courras	tu courrais
il courait	il courra	il courrait
elle courait	elle courra	elle courrait
nous courions	nous courrons	nous courrions
vous couriez	vous courrez	vous courriez
ils couraient	ils courront	ils courraient
elles couraient	elles courront	elles courraient

Infinitive	Present Participle	Present	Passé Composé
Croire (to believe)	croyant	je crois	j'ai cru
		tu crois	tu as cru
		il croit	il a cru
		elle croit	elle a cru
		nous croyons	nous avons cru
		vous croyez	vous avez cru
		ils croient	ils ont cru
		elles croient	elles ont cru
Devoir (to owe to have to, must)	devant	je dois	j'ai dû
		tu dois	tu as dû
		il doit	il a dû
		elle doit	elle a dû
		nous devons	nous avons dû
		vous devez	vous avez dû
		ils doivent	ils ont dû
		elles doivent	elles ont dû
Dire (to say, to tell)	disant	je dis	j'ai dit
		tu dis	tu as dit
		il dit	il a dit
		elle dit	elle a dit
		nous disons	nous avons dit
		vous dites	vous avez dit
		ils disent	ils ont dit
		elles disent	elles ont dit
Dormir (to sleep)	dormant	je dors	j'ai dormi
		tu dors	tu as dormi
		il dort	il a dormi
		elle dort	elle a dormi
		nous dormons	nous avons dormi
		vous dormez	vous avez dormi
		ils dorment	ils ont dormi
		elles dorment	elles ont dormi

Imperfect	Future	Conditional
je croyais	je croirai	je croirais
tu croyais	tu croiras	tu croirais
il croyait	il croira	il croirait
elle croyait	elle croira	elle croirait
nous croyions	nous croirons	nous croirions
vous croyiez	vous croirez	vous croiriez
ils croyaient	ils croiront	ils croiraient
elles croyaient	elles croiront	elles croiraient
je devais	je devrai	je devrais
tu devais	tu devras	tu devrais
il devait	il devra	il devrait
elle devait	elle devra	elle devrait
nous devions	nous devrons	nous devrions
vous deviez	vous devrez	vous devriez
ils devaient	ils devront	ils devraient
elles devaient	elles devront	elles devraient
je disais	je dirai	je dirais
tu disais	tu diras	tu dirais
il disait	il dira	il dirait
elle disait	elle dira	elle dirait
nous disions	nous dirons	nous dirions
vous disiez	vous direz	vous diriez
ils disaient	ils diront	ils diraient
elles disaient	elles diront	elles diraient
je dormais	je dormirai	je dormirais
tu dormais	tu dormiras	tu dormirais
il dormait	il dormira	il dormirait
elle dormait	elle dormira	elle dormirait
nous dormions	nous dormirons	nous dormirions
vous dormiez	vous dormirez	vous dormiriez
ils dormaient	ils dormiront	ils dormiraient
elles dormaient	elles dormiront	elles dormiraient

Infinitive	Present Participle	Present	Passé Composé
Ecrire (to write)	écrivant	j'écris	j'ai écrit
		tu écris	tu as écrit
		il écrit	il a écrit
		elle écrit	elle a écrit
		nous écrivons	nous avons écrit
		vous écrivez	vous avez écrit
		ils écrivent	ils ont écrit
		elles écrivent	elles ont écrit
Etre (to be)	étant	je suis	j'ai été
		tu es	tu as été
		il est	il a été
		elle est	elle a été
		nous sommes	nous avons été
		vous êtes	vous avez été
		ils sont	ils ont été
		elles sont	elles ont été
Faire (to do)	faisant	je fais	j'ai fait
		tu fais	tu as fait
		il fait	il a fait
		elle fait	elle a fait
		nous faisons	nous avons fait
		vous faites	vous avez fait
		ils font	ils ont fait
		elles font	elles ont fait
Lire (to read)	lisant	je lis	j'ai lu
		tu lis	tu as lu
		il lit	il a lu
		elle lit	elle a lu
		nous lisons	nous avons lu
		vous lisez	vous avez lu
		ils lisent	ils ont lu
		elles lisent	elles ont lu

Imperfect	Future	Conditional
j'écrivais	j'écrirai	j'écrirais
tu écrivais	tu écriras	tu écrirais
il écrivait	il écrira	il écrirait
elle écrivait	elle écrira	elle écrirait
nous écrivions	nous écrirons	nous écririons
vous écriviez	vous écrirez	vous écririez
ils écrivaient	ils écriront	ils écriraient
elles écrivaient	elles écriront	elles écriraient
j'étais	je serai	je serais
tu étais	tu seras	tu serais
il était	il sera	il serait
elle était	elle sera	elle serait
nous étions	nous serons	nous serions
vous étiez	vous serez	vous seriez
ils étaient	ils seront	ils seraient
elles étaient	elles seront	elles seraient
je faisais	je ferai	je ferais
tu faisais	tu feras	tu ferais
il faisait	il fera	il ferait
elle faisait	elle fera	elle ferait
nous faisions	nous ferons	nous ferions
vous faisiez	vous ferez	vous feriez
ils faisaient	ils feront	ils feraient
elles faisaient	elles feront	elles feraient
je lisais	je lirai	je lirais
tu lisais	tu liras	tu lirais
il lisait	elle lira	il lirait
elle lisait	elle lira	elle lirait
nous lisions	nous lirons	nous lirions
vous lisiez	vous lirez	vous liriez
ils lisaient	ils liront	ils liraient
elles lisaient	elles liront	elles liraient

Infinitive	Present Participle	Present	Passé Composé
Mettre (to put)	mettant	je mets	j'ai mis
		tu mets	tu as mis
		il met	il a mis
		elle met	elle a mis
		nous mettons	nous avons mis
		vous mettez	vous avez mis
		ils mettent	ils ont mis
		elles mettent	elles ont mis
Mourir (to die)	mourant	je meurs	je suis mort (e)
		tu meurs	tu es mort (e)
		il meurt	il est mort
		elle meurt	elle est morte
		nous mourons	nous sommes mort (e) s
		vous mourez	vous êtes mort (e) (s)
		ils meurent	ils sont morts
		elles meurent	elles sont mortes
Naître (to be born)	naissant	je nais	je suis né(e)
		tu nais	tu es né (e)
		il naît	il est né
		elle naît	elle est née
		nous naissons	nous sommes né (e)s
		vous naissez	vous êtes né (e)(s)
		ils naissent	ils sont nés
		elles naissent	elles sont nées
Ouvrir (to open)	ouvrant	j'ouvre	j'ai ouvert
		tu ouvres	tu as ouvert
		il ouvre	il a ouvert
		elle ouvre	elle a ouvert
		nous ouvrons	nous avons ouvert
		vous ouvrez	vous avez ouvert
		ils ouvrent	ils ont ouvert
		elles ouvrent	elles ont ouvert

Imperfect	Future	Conditional
je mettais	je mettrai	je mettrais
tu mettais	tu mettras	tu mettrais
il mettait	il mettra	il mettrait
elle mettait	elle mettra	elle mettrait
nous mettions	nous mettrons	nous mettrions
vous mettiez	vous mettrez	vous mettriez
ils mettaient	ils mettront	ils mettraient
elles mettaient	elles mettront	elles mettraient
je mourais	je mourrai	je mourrais
tu mourais	tu mourras	tu mourrais
il mourait	il mourra	il mourrait
elle mourait	elle mourra	elle mourrait
nous mourions	nous mourrons	nous mourrions
vous mouriez	vous mourrez	vous mourriez
ils mouraient	ils mourront	ils mourraient
elles mouraient	elles mourront	elles mourraient
je naissais	je naîtrai	je naîtrais
tu naissais	tu naîtras	tu naîtrais
il naissait	il naîtra	il naîtrait
elle naissait	elle naîtra	elle naîtrait
nous naissions	nous naîtrons	nous naîtrions
vous naissiez	vous naîtrez	vous naîtriez
ils naissaient	ils naîtront	ils naîtraient
elles naissaient	elles naîtront	elles naîtraient
j'ouvrais	j'ouvrirai	j'ouvrirais
tu ouvrais	tu ouvriras	tu ouvrirais
il ouvrait	il ouvrira	il ouvrirait
elle ouvrait	elle ouvrira	elle ouvrirait
nous ouvrions	nous ouvrirons	nous ouvririons
vous ouvriez	vous ouvrirez	vous ouvririez
ils ouvraient	ils ouvriront	ils ouvriraient
elles ouvraient	elles ouvriront	elles ouvriraient

Infinitive	Present Participle	Present	Passé Composé
Partir	partant	je pars	je suis parti (e)
(to leave)		tu pars	tu es parti (e)
		il part	il est parti
		elle part	elle est partie
		nous partons	nous sommes parti(e)s
		vous partez	vous êtes parti(e)(s)
		ils partent	ils sont partis
		elles partent	elles sont parties
Pouvoir	pouvant	je peux (je puis)	j'ai pu
(to be able to)		tu peux	tu as pu
		il peut	il a pu
		elle peut	elle a pu
		nous pouvons	nous avons pu
		vous pouvez	vous avez pu
		ils peuvent	ils ont pu
		elles peuvent	elles ont pu
Prendre	prenant	je prends	j'ai pris
(to take)		tu prends	tu as pris
		il prend	il a pris
		elle prend	elle a pris
		nous prenons	nous avons pris
		vous prenez	vous avez pris
		ils prennent	ils ont pris
		elles prennent	elles ont pris
Recevoir	recevant	je reçois	j'ai reçu
(to receive)		tu reçois	tu as reçu
		il reçoit	il a reçu
		elle reçoit	elle a reçu
		nous recevons	nous avons reçu
		vous recevez	vous avez reçu
		ils reçoivent	ils ont reçu
		elles reçoivent	elles ont reçu

Imperfect	Future	Present Conditional
je partais	je partirai	je partirais
tu partais	tu partiras	tu partirais
il partait	il partira	il partirait
elle partait	elle partira	elle partirait
nous partions	nous partirons	nous partirions
vous partiez	vous partirez	vous partiriez
ils partaient	ils partiront	ils partiraient
elles partaient	elles partiront	elles partiraient
je pouvais	je pourrai	je pourrais
tu pouvais	tu pourras	tu pourrais
il pouvait	il pourra	il pourrait
elle pouvait	elle pourra	elle pourrait
nous pouvions	nous pourrons	nous pourrions
vous pouviez	vous pourrez	vous pourriez
ils pouvaient	ils pourront	ils pourraient
elles pouvaient	elles pourront	elles pourraient
je prenais	je prendrai	je prendrais
tu prenais	tu prendras	tu prendrais
il prenait	il prendra	il prendrait
elle prenait	elle prendra	elle prendrait
nous prenions	nous prendrons	nous prendrions
vous preniez	vous prendrez	vous prendriez
ils prenaient	ils prendront	ils prendraient
elles prenaient	elles prendront	elles prendraient
je recevais	je recevrai	je recevrais
tu recevais	tu recevras	tu recevrais
il recevait	il recevra	il recevrait
elle recevait	elle recevra	elle recevrait
nous recevions	nous recevrons	nous recevrions
vous receviez	vous recevrez	vous recevriez
ils recevaient	ils recevront	ils recevraient
elles recevaient	elles recevront	elles recevraient

Infinitive	Present Participle	Present	Passé Composé
Rire (to laugh)	riant	je ris	j'ai ri
		tu ris	tu as ri
		il rit	il a ri
		elle rit	elle a ri
		nous rions	nous avons ri
		vous riez	vous avez ri
		ils rient	ils ont ri
		elles rient	elles ont ri
Savoir (to know)	sachant	je sais	j'ai su
		tu sais	tu as su
		il sait	il a su
		elle sait	elle a su
		nous savons	nous avons su
		vous savez	vous avez su
		ils savent	ils ont su
		elles savent	elles ont su
Sentir (to feel)	sentant	je sens	j'ai senti
		tu sens	tu as senti
		il sent	il a senti
		elle sent	elle a senti
		nous sentons	nous avons senti
		vous sentez	vous avez senti
		ils sentent	ils ont senti
		elles sentent	elles ont senti
Servir (to serve)	servant	je sers	j'ai servi
		tu sers	tu as servi
		il sert	il a servi
		elle sert	elle a servi
		nous servons	nous avons servi
		vous servez	vous avez servi
		ils servent	ils ont servi
		elles servent	elles ont servi

Imperfect	Future	Present Conditional
je riais	je rirai	je rirais
tu riais	tu riras	tu rirais
il riait	il rira	il rirait
elle riait	elle rira	elle rirait
nous riions	nous rirons	nous ririons
vous riiez	vous rirez	vous ririez
ils riaient	ils riront	ils riraient
elles riaient	elles riront	elles riraient
je savais	je saurai	je saurais
tu savais	tu sauras	tu saurais
il savait	il saura	il saurait
elle savait	elle saura	elle saurait
nous savions	nous saurons	nous saurions
vous saviez	vous saurez	vous sauriez
ils savaient	ils sauront	ils sauraient
elles savaient	elles sauront	elles sauraient
ju sentais	je sentirai	je sentirais
tu sentais	tu sentiras	tu sentirais
il sentait	il sentira	il sentirait
elle sentait	elle sentira	elle sentirait
nous sentions	nous sentirons	nous sentirions
vous sentiez	vous sentirez	vous sentiriez
ils sentaient	ils sentiront	ils sentiraient
elles sentaient	elles sentiront	elles sentiraient
je servais	je servirai	je servirais
tu servais	tu serviras	tu servirais
il servait	il servira	il servirait
elle servait	elle servira	elle servirait
nous servions	nous servirons	nous servirions
vous serviez	vous servirez	vous serviriez
ils servaient	ils serviront	ils serviraient
elles servaient	elles serviront	elles serviraient

Infinitive	Present Participle	Present	Passé Composé
Sortir	sortant	je sors	je suis sorti (e)
(to go out)		tu sors	tu es sorti (e)
		il sort	il est sorti
		elle sort	elle est sortie
		nous sortons	nous sommes sorti(e)s
		vous sortez	vous êtes sorti (e) (s)
		ils sortent	ils sont sortis
		elles sortent	elles sont sorties
Suivre	suivant	je suis	j'ai suivi
(to follow)		tu suis	tu as suivi
		il suit	il a suivi
		elle suit	elle a suivi
		nous suivons	nous avons suivi
		vous suivez	vous avez suivi
		ils suivent	ils ont suivi
		elles suivent	elles ont suivi
Venir	venant	je viens	je suis venu(e)
(to come)		tu viens	tu es venu(e)
		il vient	il est venu
		elle vient	elle est venue
		nous venons	nous sommes venu(e) s
		vous venez	vous êtes venu(e) (s)
		ils viennent	ils sont venus
		elles viennent	elles sont venues
Voir	voyant	je vois	j'ai vu
(to see)		tu vois	tu as vu
		il voit	il a vu
		elle voit	elle a vu
		nous voyons	nous avons vu
		vous voyez	vous avez vu
		ils voient	ils ont vu
		elles voient	elles ont vu

Imperfect	Future	Present Conditional
je sortais	je sortirai	je sortirais
tu sortais	tu sortiras	tu sortirais
iil sortait	il sortira	il sortirait
elle sortait	elle sortira	elle sortirait
nous sortions	nous sortirons	nous sortirions
vous sortiez	vous sortirez	vous sortiriez
ils sortaient	ils sortiront	ils sortiraient
elles sortaient	elles sortiront	elles sortiraient
je suivais	je suivrai	je suivrais
tu suivais	tu suivras	tu suivrais
il suivait	il suivra	il suivrait
elle suivait	elle suivra	elle suivrait
nous suivions	nous suivrons	vous suivrions
vous suiviez	vous suivrez	vous suivriez
ils suivaient	ils suivront	ils suivraient
elles suivaient	elles suivront	elles suivraient
je venais	je viendrai	je viendrais
tu venais	tu viendras	tu viendrais
il venait	il viendra	il viendrait
elle venait	elle viendra	elle viendrait
nous venions	nous viendrons	nous viendrions
vous veniez	vous viendrez	vous viendriez
ils venaient	ils viendront	ils viendraient
elles venaient	elles viendront	elles viendraient
je voyais	je verrai	je verrais
tu voyais	tu verras	tu verrais
il voyait	il verra	il verrait
elle voyait	elle verra	elle verrait
nous voyions	nous verrons	nous verrions
vous voyiez	vous verrez	vous verriez
ils voyaient	ils verront	ils verraient
elles voyaient	elles verront	elles verraient

Infinitive	Present Participle	Present	Passé Composé
Vouloir (to wish or to want)	voulant	je veux	j'ai voulu
		tu veux	tu as voulu
		il veut	il a voulu
		elle veut	elle a voulu
		nous voulons	nous avons voulu
		vous voulez	vous avez voulu
		ils veulent	ils ont voulu
		elles veulent	elles ont voulu

Imperfect	Future	Conditional
je voulais	je voudrai	je voudrais
tu voulais	tu voudras	tu voudrais
il voulait	il voudra	il voudrait
elle voulait	elle voudra	elle voudrait
nous voulions	nous voudrons	nous voudrions
vous vouliez	vous voudrez	vous voudriez
ils voulaient	ils voudront	ils voudraient
elles voulaient	elles voudront	elles voudraient

Unit 20
Vocabulary

aboiement, un	*barking*
achat, un	*purchase*
aéroport, un	*airport*
affaire: mes affaires (fem.)	*my things*
aller-simple, un	*one way ticket*
animal, un	*animal*
anniversaire, un	*birthday*
antenne, une	*aerial*
appartement, un	*flat, apartment*
apporter	*to bring, take*
apprendre	*to learn*
araignée, une	*spider*
arbre, un	*tree*
argent, masc.	*money*
arrêt, un	*bus-stop*
ascenseur, un	*elevator*
aujourd'hui	*today*
aveugle	*blind*
bague, la	*ring*
baigner: se baigner,	*to bathe*
bande dessinée, la	*cartoon*
basket, le	*basketball*
bateau, le	*boat*
bête, la	*beast*
beurre, le	*butter*
bibliothèque, la	*library*
bière, la	*beer*
bijouterie, la	*jeweller's (shop)*
billet, le	*ticket*
bistro, le	*pub*
blessé	*injured, wounded*
blessure, la	*injury*
blouson, le	*jacket*

bonbon, le	*sweet*
botte, la	*boot*
boum, la	*party*
bouteille, la	*bottle*
briller	*to shine*
bulletin scolaire, le	*school report*
cacahouette, la	*peanut*
cadeau, le	*present*
cahier, le	*notebook, exercise book*
campagne, la	*country*
carré	*checked*
casser	*to break*
cave, la	*cellar*
cerf-volant, le	*a kite*
champignon, le	*mushroom*
chanter	*to sing*
chapeau, le	*hat*
chaque	*each*
chatte, la	*cat (female)*
chaud	*hot*
chaussette, la	*sock*
chaussure, la	*shoe*
chemin, le	*way*
chemisier, le	*blouse*
chercher	*to look for*
cheval, le	*horse*
chocolat, le	*chocolate*
chômage: au chômage,	*unemployed*
chou, le	*cabbage*
chouette	*great, smashing*
circulation, la	*traffic*
clarinette, la	*clarinet*
colonie de vacances, la	*holiday camp*
commencer	*to begin*
comprimé, le	*tablet*
conduire	*to drive*

côte, la	*coast*
côté: à côté (de)	*next to, next door*
coup de soleil, le	*sun burn*
couper	*to cut*
courrier, le	*mail*
cours, le	*course, lesson, class*
course, la	*race*
couteau, le	*knife*
crème, la	*cream*
cuir: en cuir	*made of leather*
demain	*tomorrow*
dépêcher: se dépêcher,	*to hurry up*
déprimé	*depressed*
depuis	*since*
dictionnaire, le	*dictionary*
discothèque, la	*disco*
doigt, le	*finger*
dormir	*to sleep*
douanier, le	*custom official*
droite, la	*right*
drôle	*amusing, funny*
eau, fem.	*water*
échapper	*to escape*
écharpe, une	*scarf*
égal: ça m'est égal.	*I don't care.*
éléphant, un	*elephant*
embouteillage, un	*traffic jam*
emploi, un	*job*
emprunter,	*to borrow*
encre, une	*ink*
ensemble	*together*
entendre: s'entendre	*to get on well*
envie: avoir envie (de)	*to feel like doing something*
épicier, un	*grocer*
Espagne, fem.	*Spain*
étage, un	*floor, storey*

été, un	*summer*
étudier	*to study*
examen, un	*examination*
examen: passer un examen	*to sit an exam.*
fâché	*angry*
faim: j'ai faim	*I'm hungry*
fatigué	*tired*
faute, la	*mistake*
fauteuil, le	*armchair*
fermer	*to close*
feu: prendre feu	*to catch fire*
fièvre, la	*fever*
fontaine, la	*fountain*
forêt, la	*forest*
formidable	*fantastic*
fort	*strong*
foule, la	*crowd*
fraise, la	*strawberry*
framboise, la	*raspberry*
frapper	*to knock*
gagner	*to win*
gant, le	*glove*
gardien de but, le	*goal keeper*
gare, la	*station*
gâteau, le	*cake*
gauche, la	*left*
glace, la	*ice-cream*
gomme, la	*eraser*
griffer	*to scratch (cat etc.)*
grenier, le	*attic, loft*
guerre, la	*war*
hamster, un	*hamster*
haricot, un	*bean*
hautbois, le	*oboe*
heures: les heures d'ouverture	*opening hours*

hier	*yesterday*
hiver, un	*winter*
hôtel, un	*hotel*
immeuble, un	*block of flats*
information, une	*(piece of) news, information*
inondé	*flooded*
interdit	*forbidden*
jambe, la	*leg*
jambon, le	*ham*
jour, le	*day*
jupe, la	*skirt*
lapin, le	*rabbit*
léger	*light*
légume, la	*vegetable*
lion, le	*lion*
louer	*to hire*
lourd	*heavy*
lunettes, les (fem.)	*spectacles*
maillot de bain, le	*swimsuit*
mairie, la	*town hall*
malade	*ill*
manteau, le	*coat*
marché, le	*market*
méchant	*naughty*
méfier: se méfier de	*to distrust*
monde: le monde entier	*the whole world*
montre, la	*watch*
montre- bracelet, la	*wrist watch*
moquer: se moquer de	*to laugh at*
mordre	*to bite*
mûr	*ripe*
musée, le	*museum*
nager	*to swim*
né(e)	*born*
Noël, le	*Christmas*
noix, la	*nut*

nom, le	*name*
nouvelles, fem. pl.	*news*
obéir à	*to obey*
oiseau, un	*bird*
ordinateur, un	*computer*
os, un	*bone*
oublier	*to forget*
pain, le	*bread*
panne: tomber en panne,	*to break down*
pantalon, le	*slacks, trousers*
parapluie, le	*an umbrella*
parc, le	*park*
paresseux	*lazy*
parler	*to speak*
partout	*everywhere*
passer: passer un examen	*to sit an exam.*
passionnant	*exciting, gripping*
perdre	*to lose*
pharmacie, la	*chemist*
piano, le	*piano*
pièce, la	*play (theatre)*
pied, le	*foot*
piscine, la	*swimming pool*
placard, le	*cupboard*
place, la	*square*
plage, la	*beach*
pluie, la	*rain*
pneu, le	*tyre*
poisson rouge, le	*goldfish*
pont, le	*bridge*
porte-monnaie, le	*purse*
porte, la	*door*
portefeuille, le	*wallet*
porter	*to wear, carry*
potage, le	*soup*
pouce, le	*thumb*

poupée, la	*doll*
près de	*near*
prêter,	*to lend*
prix, le	*prize, price*
quai, le	*platform, quay*
queue, la	*queue*
ramasser	*to pick up*
ranger	*to tidy*
rayé	*striped*
rayon, le	*shelf*
récession, la	*recession*
recevoir	*to receive*
rendre: rendre visite à	*to visit s.o.*
restauration, la	*restoration*
rester	*to stay*
retard: être en retard	*to be late*
rêver	*to dream*
rez-de-chaussée, le	*ground floor*
rideau, le	*curtain*
rire	*to laugh*
robe, la	*dress*
roman, le	*novel*
s'asseoir	*to sit down*
sac à dos, le	*rucksack*
sage	*well behaved, good*
seau, le	*bucket*
serviette, la	*towel, briefcase*
siècle, le	*century*
siffler	*to whistle*
sinon	*otherwise*
soldes, les (fem.)	*sales*
soleil, le	*sun*
souffrir	*to suffer*
souris, la	*mouse*
souvent	*often*
sport, le	*sport*

stage, un	*training course*
stationner	*to park (car)*
sucre, le	*sugar*
supermarché, le	*supermarket*
surprendre	*to surprise*
surveiller	*to monitor, supervise*
syndicat d'initiative, le	*tourist office*
tabac, un	*tobacconist*
tapis, le	*carpet*
tirer	*to draw/pull*
toit, le	*roof*
tousser	*to cough*
tricoter	*to knit*
trouver: se trouver	*to find/to be located*
usine, une	*factory*
vaisselle, la	*dishes*
valise, la	*suitcase*
vélo, le	*bicycle*
vendre: à vendre	*sell: for sale*
veste, la	*jacket*
vêtements, masc. pl.	*clothes*
viande, la	*meat*
vitesse: en vitesse	*quickly*
vitrine, la	*(shop) window*
voisin, le	*neighbour*
voiture, la	*car*
volets, masc. pl.	*shutters*
voleur, le	*thief*
vraiment	*really, truly*